POETRY OF

ALLAMA IQBAL

With original Urdu text, Roman and Hindi transliteration
and poetical translation into English.

Includes:

'Shikwā' and *'Jawāb Shikwā'*

IN THE SAME MULTILINGUAL SERIES

- ★ **DIWAN-E-GHALIB** Selections
- ★ Punjabi Poems of **AMRITA PRITAM**
- ★ Poems of **JOSH MALIHABADI**
- ★ Poetry of **SHAKEEL BADAUNI**
- ★ Poems of **SAHIR LUDHIANVI**
- ★ Poetry of **IQBAL**
- ★ Poetry of **BAHADUR SHAH ZAFAR**
- ★ Poetry of **FAIZ AHMED FAIZ**
- ★ Poetry of **QATEEL SHAFAI**
- ★ Selected Urdu Poetry of **WOMEN POETS**
- ★ Selections from **DIWAN-E-GHALIB**
- ★ Selected Poetry of **AHMAD FARAZ**

Published by

Star Publications Pvt. Ltd.
4/5 Asaf Ali Road, New Delhi-110 002

POETRY OF

ALLAMA IQBAL

With original Urdu text, Roman and Hindi transliteration
and poetical translation into English

علامہ اقبال کی شاعری

इक़बाल

की शायरी

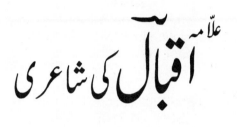

English translation by :
Khwaja Tariq Mahmood

Poetry of
IQBAL
(Multilingual edition)
English translation by Khwaja Tariq Mehmood
Star, New Delhi, 2018

ISBN : 81 7650 036 4

Published by:
STAR PUBLICATIONS PVT. LTD.
4/5 Asaf Ali Road, New Delhi-100 002

This Revised Edition : 2018
Price : Rs. 400/- (in India)
£. 14.95 (in U. K.)

Distributors in the U.K.
STAR Foreign Language BOOKS
Suite 4b, Floor 15, Wembley Point,
1 Harrow Road, Wembley HA9 6DE (U.K.)
Phone : 020 8900 2640
E-mail : info@starbooksuk.com
www.foreignlanguagebooks.co.uk

Printed at : Star Print O Bind, New Delhi (india)

PUBLISHER'S NOTE:

This is the third book in our series of multilingual collections of Urdu poetry.

Iqbal, known as **Allama Iqbal,** had written a very wide range of ***'Ghazals'*** and ***'Nazams'*** not only in Urdu but in Persian (Farsi) also. His poetry covers various aspects of social life, but he was a nationalist poet and wrote a lot about his motherland. In this collection, we have tried to include many of those poems, which made **Iqbal** a great Urdu poet. He had written a long poem titled ***'Shikwā'*** and afterwards ***'Jawāb Shikwā',*** and both these long poems have been included in this collection.

This collection includes Urdu text, translation of each poem into poetic form in English, and transliteration of the original text into Roman and Devanagari(Hindi) script.

We hope that all those who love and relish Urdu poetry will find this collection of great interest. More titles in the same series will be brought out very soon.

-Publishers.

NOTE FROM THE TRANSLATOR/COMPILER:

It is my pleasure and privilege to present before the readers a collection of representative poetical works of **'Allama Iqbal'** a great poet of 20th Century, with the English translation. Earlier two other collections of the poems of *Sahir Ludhianvi* and *Mirza Ghalib* were presented through my publishers Star Publications Pvt. Ltd., New Delhi.

I have translated 105 poems and quatrains of **Allama Iqbal** into rhymed English, but in this collection. I could include only 44 of those poems which have literary and emotional value.

Iqbal was a poet of 20th Century, but in his poetry there is a wholesome fusion of the physical and metaphysical, a mutually inclusive combination of the material and the moral. His poetry transcends time and space, and it is not easy to draw a line between the earthly and the heavenly thoughts in it. He was a successor in a long line of Persian and Urdu poets of Iran and the sub-continent, culminating in *Mirza Asadullah Khan 'Ghalib'* (1797-1869), who is regarded as the most prolific poet of the 19th century. He transmigrated literally *Ghalib's* soul into his writings. There is spontaneity, variety and diversity in his poetry. And he paid a poignent tribute to *Ghalib* in his poem *'Mirza Ghalib'* which appears in this collection. His poems like ***'Himalaya'*** (which he wrote in the year 1901), ***'Tarana-e-Hindi', 'Naya Shivala', 'Shikva'*** and ***'Javab-e-Shikva'*** are the masterpieces in Urdu poetry.

Iqbal had received his early education in Sialkot (now in Pakistan), and graduated from Government College Lahore, majoring in the subject Philosophy. He had his further studies in Cambridge University, U.K., and later received his Ph.D degree on History of Philosophy from University of Munchen in Germany. **Iqbal** was full of praise for *Shakespeare*, and wrote a poem on this great author. He also wrote about *Byron, Browning, Tolstoy, Karl Marx, Einstein* and many such great authors of their times.

Finally, a word about this collection and rhymsical translation into English. I do not claim to be a great translator, and there is no grand design in this selection also. The only guiding factor of my translation is its translatability, not the least my limitations in translating and understanding the poems. And for that I have had to paraphrase some of the poems.

My thanks are due to the publishers **STAR PUBLICATIONS, New Delhi.** who very kindly agreed to bring out this beautiful edition of the collection.

Khwaja Tariq Mahmood.
Lahore (Pakistan)

فہرست

* * *

ہمالہ

اے ہمالہ! اے فصیل کشور ہندوستاں
چومتا ہے جھک کے پیشانی کو تیرے آسماں
تجھ میں کچھ پیدا نہیں دیرینہ روزی کے نشاں
تو جواں ہے گردش شام و سحر کے درمیاں
ایک جلوہ تھا کلیم طور سینا کے لئے
تو تجلی ہے سراپا چشم بینا کے لئے

امتحاں دیدہ ظاہر میں کوہستاں ہے تو
پاسباں اپنا ہے تو، دیوار ہندوستاں ہے تو
مطلع اول فلک جس کا ہو وہ دیواں ہے تو
سوئے خلوت گاہ دل دامن کش انساں ہے تو
برف نے باندھی ہے دستار فضیلت تیرے سر
خندہ زن ہے جو کلاہ مہر عالمتاب پر

HIMALAYA

O Himalaya! O you bulwark of Indian fortress
Sky is bowing low for your forehead to caress
In you no signs are apparent of ageing or duress
You are youthful ever in the midst of time's press
For Moses, Mount of Tur was a sight to unfold
For others you are awesome, a sight to behold

Mountain range you are in the common parlance
Sentinel you are, an Indian wall of substance
Sky is the title of your book, in itself immense
You beckon human beings with your quiet eminense
Layers of snow betoken a turban of distinction
They rival sun's incandescent cap with due conviction

Himālayā

ai-himālaya. ai-fasīla kiśavare hindustāṃ
cūmatā hai jhuka ke paiśānī ko tere āsmāṃ
tujha meṃ kucha paidā nahīṃ derīnā rozī ke niśāṃ
tū javāṃ hai gardiśe śāma-o-sahara ke adaaramiyāṃ
eka jalavā thā kalīma tūra-e-sīnā
tū tajallī hai sarāpā caśma-e-bīnā

imtehāṃ dīdā zāhira meṃ kohistāṃ hai tū
pāsabāṃ apanā hai tū, dīvāra-e-hindustāṃ hai tū
matalā-e-avvala falaka jisakā ho vo dīvāṃ hai tū
sue k͟hilavata gāha dila dāmana kaśa-e-insāṃ hai tū
barfa ne bāndhī hai dasatāre fazīlata tere sara
k͟handā zana hai jo kulāha-e-mahar ālamatāba para

हिमालय

ऐ-हिमाला! ऐ-फ़सील[१] किश्वरे[२] हिन्दुस्तां
चूमता है झुक के पेशानी को तेरे आसमां
तुझ में कुछ पैदा नहीं देरीना रोज़ी के निशां
तू जवां है गर्दिशे शाम-ओ-सहर के दरमियां
एक जलवा था कलीम तूर-ऐ-सीना के लिये
तू तजल्ली है सरापा चश्म-ए-बीना के लिये

इम्तेहां दीदा ज़ाहिर में कोहिस्तां है तू
पासबां अपना है तू, दीवार-ए-हिन्दुस्तां है तू
मतला-ए-अव्वल फ़लक जिसका हो वो दीवां है तू
सोए ख़िलवत गाह दिल दामन कश-ए-इन्सां है तू
बर्फ़ ने बांधी है दसतारे फ़ज़ीलत तेरे सर
ख़न्दा ज़न है जो कुलाह-ए-मेहे आलमताब पर

---

१. चारदीवारी   २. देश

تیری عمر رفتہ کی اک آن ہے عہد کہن
وادیوں میں ہیں تری کالی گھٹائیں خیمہ زن
چوٹیاں تیری ثریا سے ہیں سرگرم سخن
تو زمیں پر اور پہنائے فلک تیرا وطن
چشمہ دامن ترا آئینہ سیال ہے
دامن موج ہوا جس کے لئے رومال ہے

ابر کے ہاتھوں میں راہوار ہوا کے واسطے
تازیانہ دے دیا برق سر کوہسار نے
اے ہمالہ! کوئی بازی گاہ ہے تو بھی جسے
دستِ قدرت نے بنایا ہے عناصر کے لئے
ہائے کیا فرط طرب میں جھومتا جاتا ہے ابر
فیل بے زنجیر کی صورت اڑا جاتا ہے ابر

اے ہمالہ! داستاں اس وقت کی کوئی سنا
مسکن آبائے انساں جب بنا دامن ترا
کچھ بتا اس سیدھی سادی زندگی کا ماجرا
داغ جس پر غازہ رنگ تکلف کا نہ تھا
ہاں دکھا دے اے تصور! پھر وہ صبح و شام تو
دوڑ پیچھے کی طرف اے گردش ایام تو

* * *

Oldest times are full of pride for your ancient past
With clouds like billowing canopies your valleys are overcast
Your peaks are in concert with stratosphere vast
Though rooted to planet earth, you belong to heavenly cast
Your foothills are a source of many a bubbly spring
From their surface wafting winds cooling comfort bring

There in the hand of cloud is given for the aerial steed
A lightning lash from mountain peek to spur and to speed
Are you, O Himalayas! an arena as if decreed
By nature's hand for natural elements to inbreed
Ah! how the cloud is flying and swaying along in merriment
Fleeing as if an unchained elephant, all in its element

O Himalaya! relate to us some anecdotes of yore
When our first ancestors were flocking at you door
Of simple life of those days tell us ever more
Not tainted with formalities, simplicity galore
Yes, O imagination! show us the olden ways
O turning wheel of time! turn to the olden days

* * *

terī umar-e-rafatā kī ika āna hai ahda-e-kuhana
vādiyoṃ meṃ haiṃ terī kālī ghaṭāyeṃ k̲haimā zana
coṭiyāṃ terī surayyā se haiṃ saragarme suk̲hana
tū zamīṃ para aura pahanāye falaka terā vatana
caśmae dāmana terā, āīnā saiyāla hai
dāmane mauja-e-havā jisake liye rūmāla hai

abar ke hāthoṃ meṃ rāhavāra havā ke vāste
tāziyānā de diyā barqa-e-sara kohasāra ne
ai-himālā! koī bāzī gāha hai tū bhī jise
dasta-e-qudarata ne banāyā hai anāsira ke liye
hāye kyā farte-e-taraba meṃ jhūmatā jātā hai abar
fīla be-zañjīra kī sūrata uḓā jātā hai abar

ai-himālā! dāstāṃ usa vaqta kī koī sunā
maskane ābā-e-insāṃ jaba banā dāmana terā
kucha batā usa sīdhī sādī zindagī kā mājarā
dāg̲ha jisa para g̲hāza-e-raṅga takallufa kā na thā
hāṃ dikhā de ai-tasavvura. phira vo subaha-o-śāma tū
dauḓa pīche kī taru ai-gardiśe-ayyāma tū

✸ ✸ ✸

तेरी उम्र-ए-रफ़्ता की इक आन है अह्द-ए-कुहन
वादियों में हैं तेरी काली घटायें ख़ेमा ज़न
चोटियां तेरी सुरय्या से हैं सरगर्मे सुख़न
तू ज़मीं पर और पहनाये फ़लक तेरा वतन
चश्म-ए-दामन तेरा, आईना सैयाल है
दामने मौज-ए-हवा जिसके लिये रूमाल है

अब्र के हाथों में राहवार हवा के वास्ते
ताज़ियाना दे दिया बर्क़-ए-सर कोहसार ने
ऐ-हिमाला! कोई बाज़ी गाह है तू भी जिसे
दस्त-ए-कुदरत ने बनाया है अनासिर के लिये
हाये क्या फ़र्ते-ए-तरब में झूमता जाता है अब्र
फ़ील बे-ज़ंजीर की सूरत उड़ा जाता है अब्र

ऐ-हिमाला! दास्तां उस वक़्त की कोई सुना
मस्कने आबा-ए-इन्सां जब बना दामन तेरा
कुछ बता उस सीधी सादी ज़िन्दगी का माजरा
दाग़ जिस पर ग़ाज़-ए-रंग तकल्लुफ़ का न था
हां दिखा दे ऐ-तसव्वुर! फिर वो सुबह-ओ-शाम तू
दौड़ पीछे की तरफ़ ऐ-गर्दिश-अय्याम तू

* * *

ترانہ ہندی

سارے جہاں سے اچھا ہندوستاں ہمارا
ہم بلبلیں ہیں اس کی یہ گلستاں ہمارا

غربت میں ہوں اگر ہم، رہتا ہے دل وطن میں
سمجھو وہیں ہمیں بھی دل ہو جہاں ہمارا

پربت وہ سب سے اونچا، ہمسایہ آسماں کا
وہ سنتری ہمارا، وہ پاسباں ہمارا

گودی میں کھیلتی ہیں اس کی ہزاروں ندیاں
گلشن ہے جن کے دم سے رشک جناں ہمارا

اے آبِ رودِ گنگا! وہ دن ہیں یاد تجھ کو
اترا ترے کنارے، جب کارواں ہمارا

SONG OF INDIA

Our India is the finest country on this planet earth
This is our garden abode, we are nightingales of mirth

Even when abroad, is our heart aboard motherland
We are where our heart is, that is in the land of birth

That highest mountain range, whose peak bespeaks the sky
It acts as our sentinel, it is guardian of our girth

There are a thousand rivers that are flowing in its lap
Which make our country a paradise inland and in firth

O waters of gigantic Ganges! recall the early days
When caravans flocked your bands for their home and hearth

Tarānā-E-Hindī

sāre jahāṃ se acchā hindūstāṃ hamārā
hama bulabaleṃ haiṃ isakī, yaha gulasitāṃ hamārā

g̲hurbata meṃ hoṃ agara hama, rahatā hai dila vatana meṃ
samajho vahīṃ hameṃ bhī dila ho jahāṃ hamārā

parbata voha saba se uūṃcā, hamasāyā āsmāṃ kā
vo santarī hamārā, vo pāsabāṃ hamārā

godī meṃ khelatī haiṃ isakī hazāroṃ nadiyāṃ
gulaśana hai jisa ke dama se raśke jināṃ hamārā

ai-āba rūda-e-gaṅgā. voha dina hai yāda tujhako
utarā tere kināre jaba kāravāṃ hamārā

तराना-ए-हिन्दी

सारे जहां से अच्छा हिन्दुस्तां हमारा
हम बुलबलें हैं इसकी, यह गुलसितां हमारा

गुरबत में हों अगर हम, रहता है दिल वतन में
समझो वहीं हमें भी दिल हो जहां हमारा

पर्बत वो सब से ऊंचा, हमसाया आसमां का
वोह संतरी हमारा, वोह पासबां हमारा

गोदी में खेलती हैं इसके हज़ारों नदियां
गुलशन है जिस के दम से रश्के जिनां हमारा

ऐ-आब रूद-ए-गंगा! वो दिन है याद तुझको
उतरा तेरे किनारे जब कारवां हमारा

مذہب نہیں سکھاتا آپس میں بیر رکھنا
ہندی ہیں ہم، وطن ہے ہندوستاں ہمارا

یونان و مصر روما سب مٹ گئے جہاں سے
اب تک مگر ہے باقی نام و نشاں ہمارا

کچھ بات ہے کہ ہستی مٹتی نہیں جہاں سے
صدیوں رہا ہے دشمن دور زماں ہمارا

اقبال کوئی محرم اپنا نہیں جہاں میں
معلوم کیا کسی کو دردِ نہاں ہمارا

* * *

Religion does not teach us to keep mutual grudge
We are of Indian stock and we belong to Indian earth

Civilisation Hellenic, Egyptian, Roman are obliterated
Our polity is all enduring, it has proved its sterling worth

Adverse forces for centuries, though, abound and surround
Reason for our rebound is not difficult to unearth

Who can fathom depth of our inner feelings ever
Iqbal! there is no confidant on this planet earth

* * *

mazahaba nahīṃ sikhātā āpasa meṃ baira rakhanā
hindī haiṃ hama vatana hai hindūstāṃ hamārā

yunāna-o-misra va romā saba miṭa gaye jahāṃ se
aba taka magara hai bāqī nāma-o-niśāṃ hamārā

kucha bāta hai ki hastī miṭatī nahīṃ jahāṃ se
sadiyoṃ rahā hai duśmana daura-e-jahāṃ hamārā

iqabāla koī maharama apanā nahīṃ jahāṃ meṃ
mālūma kyā kisī ko darda-e-nihāṃ hamārā

मज़हब नहीं सिखाता आपस में बैर रखना
हिन्दी हैं हम वतन है हिन्दुस्तां हमारा

युनान-ओ-मिस्र व रोमा सब मिट गये जहां से
अब तक मगर है बाक़ी नाम-ओ-निशां हमारा

कुछ बात है कि हस्ती मिटती नहीं जहां से
सदियों रहा है दुश्मन दौर-ए-ज़मां हमारा

इक़बाल कोई महरम अपना नहीं जहां में
मालूम क्या किसी को दर्द-ए-निहां हमारा

✸ ✸ ✸

مرزاغالب

فکر انساں پر تری ہستی سے یہ روشن ہوا
ہے پر مرغ تخیل کی رسائی تا کجا
تھا سراپا روح تو، بزم سخن پیکر ترا
زیب محفل بھی رہا، محفل سے پنہاں بھی رہا
دید تیری آنکھ کو اس حسن کی منظور ہے
بن کے سوز زندگی ہر شے میں جو مستور ہے

محفل ہستی تری بربط سے ہے سرمایہ دار
جس طرح ندی کے نغموں سے سکوت کوہسار
تیرے فردوس تخیل سے ہے قدرت کی بہار
تیری کشت فکر سے اگتے ہیں عالم سبزہ وار
زندگی مضمر ہے تیری شوخی تحریر میں
تاب گویائی سے جنبش ہے لب تصویر میں

MIRZA GHALIB
(an Urdu Poet)

Your life for human intellect made it so clear
That flight of imagination can reach the stratosphere
You embodied poetic world, were laureate poet of year
You enriched literary environments more than any peer
Your eye was always searching for that form of perfection
Which, though, part of every being, is hidden from detection

Feast of life was so enlivened by your verbiology
Like torrent in a hilly terrain with its musicology
Your lofty thinking is a fillip for nature's sociology
Growth of global humanism is product of your psychology
Your creation is a reflection of creator's caricature
Each picture is so expressive in its paper pack inure

Ghālib

fikar-e-insāṃ para terī hastī se yaha rośana huā
hai para murgha-takhayyula kī rasāī tā kujā
thā sarāpā rūha to, bazma-e-sukhana paikara terā
zeba-e-mahafila bhī rahā, mahafila se panhāṃ bhī rahā
dīda terī āṃkha ko isa husna kī mañzūra hai
bana ke soza-e-zindagī hara śai meṃ jo mastūra hai

mahafila hastī terī barabata se hai saramāyā dāra
jisa taraha nadī ke naghamoṃ se sukūta-e-kohasāra
terī firadausa takhayyula se hai qudarata kī bahāra
terī kuśta-e-fikar se ugate haiṃ ālama sabazā dāra
zindagī muzamira hai terī śokhī-e-taharīra meṃ
tāba goyāī se jumbiśa hai laba-e-tasvīra meṃ

ग़ालिब

फ़िक्र-ए-इन्सां पर तेरी हस्ती से यह रोशन हुआ
है पर मुर्ग़-तख़य्युल की रसाई ता कुजा
था सरापा रूह तो, बज़्म-ए-सुख़न पैकर तेरा
ज़ेब-ए-महफ़िल भी रहा, महफ़िल से पन्हां भी रहा
दीद तेरी आंख को इस हुस्न की मंज़ूर है
बन के सोज़-ए-ज़िन्दगी हर शै में जो मस्तूर है

महफ़िल हस्ती तेरी बरबत से है सरमाया दार
जिस तरह नदी के नग़मों से सुकूत-ए-कोहसार
तेरी फ़िरदौस तख़य्युल से है कुदरत की बहार
तेरी कुश्त-ए-फ़िक्र से उगते हैं आलम सबज़ा दार
ज़िन्दगी मुज़मिर[१] है तेरी शोख़ी-ए-तहरीर में
ताब गोयाई से जुंबिश है लब-ए-तस्वीर में

---

१. छुपी हुई

نطق کو سو ناز ہیں تیرے لب اعجاز پر
محو حیرت ہے ثریا رفعت پرواز پر
شاہد مضموں تصدق ہے ترے انداز پر
خندہ زن ہے غنچہ دلی گل شیراز پر
آہ! تو اجڑی ہوئی دلی میں آرامیدہ ہے
گلشن ویمر میں تیرا ہم نوا خوابیدہ ہے

لطف گویائی میں تیری ہمسری ممکن نہیں
ہو تخیل کا نہ جب تک فکر کامل ہم نشیں
ہائے! اب کیا ہو گئی ہندوستاں کی سرزمیں!
آہ! اے نظارہ آموز نگاہ نکتہ بیں!
گیسوئے اردو ابھی منت پذیر شانہ ہے
شمع یہ سودائی دل سوزی پروانہ ہے

اے جہان آباد! اے گہوارہ علم و ہنر
ہیں سراپا نالہ خاموش تیرے بام و در
ذرّے ذرّے میں ترے خوابیدہ ہیں شمس و قمر
یوں تو پوشیدہ ہیں تیری خاک میں لاکھوں گہر
دفن تجھ میں کوئی فخر روزگار ایسا بھی ہے؟
تجھ میں پنہاں کوئی موتی آبدار ایسا بھی ہے؟

* * *

Speech is full of pride for your fluent expression
Sky is just wonder-struck by your lofty progression
Your style is symptomatic of your genteel suggestion
Delhi's bud is causing for Shiraz's flower impression
Ah! with Delhi's ruined environs, company you are keeping
In the German Wemer's garden your counterpart is sleeping

In the art of writing poetry, none can be your equal
Unless perfection of intellect is accompanied by conceptual
Ah! the Indian land has been deprived of any sequel
Ah! the eye is vainly searching for any sequential
Tresses of Urdu are as yet in need of embellishment
O candle! is this wayward heart vying with moth's embarrassment

O land of Delhi! O you repository of learning and arts
Your environs now are silent, no wailing from your ramparts
In every particle lying dormant are solar and lunar parts
No doubt are buried in your earth million gems of sorts
Is there buried in your earth like monumetal Ghalib?
Is there hidden in your earth a gem to equal Ghalib?

* * *

nutqa ko sau nāza haiṃ tere laba-e-ejāza para
mahave hairata hai surayyā rifaata-e-paravāza para
śāhida mazamūṃ tasadduqa hai tere aṃdāza para
k͟handā zana hai g͟hunacā-e-dillī gula-e-śīrāza para
āha! tū ujaḍī huī dillī meṃ ārāmīdā hai
gulaśana-e-dīmara meṃ terā hama navā k͟hvābīdā hai

lutfe goyāī meṃ terī hamasarī mumakina nahīṃ
ho tak͟hayyula kā na jaba taka fikare kāmila hamanaśīṃ
hāya! aba kyā ho gaī hindustāṃ kī sarazamīṃ!
āha! ai nazārā āmoza nigāha nuktā meṃ!
gesū-e-urdu abhī mannata pazīra śānā hai
śamā yaha saudāī dila sozī paravānā hai

ai-jahāna ābāda. ai-gahavārā ilma-o-hunara
haiṃ sarāpā nālā k͟hāmośa tere bāma-o-dara
zarre-zarre meṃ tere k͟hvābīdā haiṃ śamsa-o-qamara
yūṃ to pośīdā haiṃ terī k͟hāka meṃ lākhoṃ guhara
dafana tujha meṃ koī fak͟har-e-rozagārā aisā bhī haiṃ?
tujha meṃ pinhāṃ koī motī ābadāra aisā bhī hai?

* * *

नत्क़ को सौ नाज़ हैं तेरे लब-ए-एजाज़ पर
महवे हैरत है सुरय्या रिफ़अत-ए-परवाज़ पर
शाहिद मज़मूं तसद्दुक़ है तेरे अंदाज़ पर
ख़न्दा ज़न है गुनचा-ए-दिल्ली गुल-ए-शीराज़ पर
आह! तू उजड़ी हुई दिल्ली में आरामीदा है
गुलशन-ए-दीमर में तेरा हम नवा ख़्वाबीदा है

लुत्फ़े गोयाई में तेरी हमसरी मुमकिन नहीं
हो तख़य्युल का न जब तक फ़िक्रे कामिल हमनशीं
हाय! अब क्या हो गई हिन्दुस्तां की सरज़मीं!
आह! ऐ नज़ारा आमोज़ निगाह नुक्ता में!
गेसू-ए-उर्दु अभी मन्नत पज़ीर शाना है
शमा यह सौदाई दिल सोज़ी परवाना है

ऐ-जहान आबाद! ऐ-गहवारा इल्म-ओ-हुनर
हैं सरापा नांला ख़ामोश तेरे बाम-ओ-दर
ज़र्रे-ज़र्रे में तेरे ख़्वाबीदा हैं शम्स-ओ-क़मर
यूं तो पोशीदा हैं तेरी ख़ाक में लाखों गुहर
दफ़न तुझ में कोई फ़ख्र-ए-रोज़गार ऐसा भी है?
तुझ में पिन्हां कोई मोती आबदार ऐसा भी है?

* * *

---

१. बात

ستارۂ سحر

لطف ہمسائیگی شمس و قمر کو چھوڑوں
اور اس خدمت پیغام سحر کو چھوڑوں

میرے حق میں تو نہیں تاروں کی بستی اچھی
اس بلندی سے زمیں والوں کی پستی اچھی

آسماں کیا، عدم آباد وطن ہے میرا
صبح کا دامن صد چاک کفن ہے میرا

میری قسمت میں ہے ہر روز کا مرنا جینا
ساقی موت کے ہاتھوں سے صبوحی پینا

نہ یہ خدمت، نہ یہ عزت نہ یہ رفعت اچھی
اس گھڑی بھر کے چمکنے سے تو یہ ظلمت اچھی

STAR OF THE DAWN

Pleasure of company of moon and sun, how I wish to leave
As messenger of dawn this service run how, I wish to leave

This habitat of planets for me is very much perennial
Better than this zenith is the nether-land congenial

This sky is but a region of somnolence for me
Dawn is but a harbinger of obsolescence for me

To live and die every day is mark of my distinction
To drink from hands of death is this potion of extinction

No good this service and veneration or this elevation
Better benighted darkness than this transient shining elation

Sitārā-E-Sahar

lutfa hamasāyegī śamsa-o-qamara ko choḍūṃ
aura isa k̲h̲idamate paig̲h̲āma-e-sahara ko choḍdūṃ

mere haqa meṃ to nahīṃ tāroṃ kī bastī acchī
isa bulandī se zamīṃ vāloṃ kī pastī acchī

āsmāṃ kyā, adama ābāda vatana hai merā
subaha kā dāmana sada-e-cāka kafana hai merā

merī qismata meṃ hara roza kā maranā jīnā
sāqī mauta ke hāthoṃ se sabūhī pīnā

na yaha k̲h̲idamata, na yaha izzata na yaha rifaata acchī
isa ghaḍī bhara ke camakane se to yaha zulmata acchī

सितारा-ए-सहर

लुत्फ़ हमसायेगी शम्स-ओ-क़मर[१] को छोड़ू
और इस ख़िदमते पैग़ाम-ए-सहर को छोड़ू

मेरे हक़ में तो नहीं तारों की बस्ती अच्छी
इस बुलंदी से ज़मीं वालों की पस्ती अच्छी

आसमां क्या, अदम आबाद वतन है मेरा
सुबह का दामन सद-ए-चाक कफ़न है मेरा

मेरी क़िस्मत में हर रोज़ का मरना जीना
साक़ी मौत के हाथों से सबूही पीना

न यह ख़िदमत, न यह इज़्ज़त न यह रिफ़अत अच्छी
इस घड़ी भर के चमकने से तो यह ज़ुल्मत अच्छी

---

१. चांद-सूरज

میری قدرت میں جو ہوتا تو نہ اختر بنتا
قصر دریا میں چمکتا ہوا گوہر بنتا

واں بھی موجوں کی کشاکش سے جو دل گھبراتا
چھوڑ کر بحر کہیں زیب گلو ہو جاتا

ایسی چیزوں کا مگر دہر میں ہے کام شکست
ہے گہر ہائے گہرا نما یہ کا انجام شکست

ہے یہ انجام اگر زینت عالم ہو کر
کیوں نہ گر جاؤں کسی پھول پہ شبنم ہو کر

* * *

Left to me I would hate to be a star in celestial swirl
At the depth of an ocean bed I would rather be a pearl

If from pull and push of waves I felt any embarrassment
Leaving the ocean, I would become somebody's embellishment

However, items such as pearl are fated for decay
Such valuable adornments are slated for decay

If this is the fate which must await my beauty's circumstance
Why not as a drop of dew on a flower I take my stance!

* * *

merī kudarata meṃ jo hotā to na akhtara banatā
qasare dariyā meṃ camakatā huā gauhara banatā

vāṃ bhī maujoṃ kī kaśākaśa se jo dila ghabarātā
choḍa kara bahar kahīṃ zeba gulū ho jātā

aisī cīzoṃ kā magara dahara meṃ hai kāma śikasta
hai guhara hāye gaharā numāyā kā aṃjāma śikasta

hai yaha aṃjāma agara zīnata-e-ālama hokara
kyoṃ na gira jāuṃ kisī phūla pe śabanama hokara

* * *

मेरी क़ुदरत में जो होता तो न अख़्तर बनता
क़स्रे दरिया में चमकता हुआ गौहर बनता

वां भी मौजों की कशाकश से जो दिल घबराता
छोड़ कर बह्र कहीं ज़ेब गुलू हो जाता

ऐसी चीज़ों का मगर दहर में है काम शिकस्त
है गुहर हाये गहरा नुमाया का अंजाम शिकस्त

है यह अंजाम अगर ज़ीनत-ए-आलम होकर
क्यों न गिर जाऊं किसी फूल पे शबनम होकर

✸ ✸ ✸

چاند اور تارے

ڈرتے ڈرتے دم سحر سے
تارے کہنے لگے قمر سے

نظارے وہی رہے فلک پر
ہم تھک بھی گئے چمک چمک کر

کام اپنا ہے صبح و شام چلنا
چلنا چلنا، مدام چلنا

بیتاب ہے اس جہاں کی ہر شے
کہتے ہیں جسے سکوں نہیں ہے

رہتے ہیں ستم کش سفر سب
تارے، انساں، شجر، حجر سب

ہوگا کبھی ختم یہ سفر کیا
منزل کبھی آئے گی نظر کیا

MOON AND STARS

At dawn the stars with trepidation
Said to the moon with hesitation

"In heaven the scene is shiftless
Tired of shining we are listless

Morning, evening our walking endeavour
Walking, walking, walking forever

Everything in this universe is restless
What is called tranquillity is baseless

All are subject to journey's blight
Stars, humans share the plight

Will there ever be this journey's end
Will destination be around the bend"

Chānd Our Tāre

ḍarate-ḍarate dama-e-sahara se
tāre kahane lage qamara se

nazāre vahī rahe falaka para
hama thaka bhī gaye camaka-camaka kara

kāma apane hai subaha-o-śāma calanā
calanā-calanā, madāma calanā

betāba hai isa jahāṃ kī hara śai
kahate haiṃ jise sukūṃ nahīṃ hai

rahate haiṃ sitama kaśa safara saba
tāre, insāṃ, śajara, hajara saba

hogā kabhī khatma yaha safara kyā
mañzila kabhī āyegī nazara kyā

चांद और तारे

डरते-डरते दम-ए-सहर से
तारे कहने लगे क़मर से

नज़ारे वही रहे फ़लक पर
हम थक भी गये चमक-चमक कर

काम अपना है सुबह-ओ-शाम चलना
चलना-चलना, मदाम चलना

बेताब है इस जहां की हर शै
कहते हैं जिसे सुकूं नहीं है

रहते हैं सितम कश सफ़र सब
तारे, इन्सां, शजर, हजर सब

होगा कभी ख़त्म यह सफ़र क्या
मंज़िल कभी आयेगी नज़र क्या

کہنے لگا چاند، اے ہم نشینو
اے مزرع شب کے خوشہ چینو

جنبش سے ہے زندگی جہاں کی
یہ رسم قدیم ہے یہاں کی

ہے دوڑتا اشہب زمانہ
کھا کھا کے طلب کا تازیانہ

اس رہ میں مقام بے محل ہے
پوشیدہ قرار میں اجل ہے

چلنے والے نکل گئے ہیں
جو ٹھہرے ذرا کچل گئے ہیں

انجام ہے اس خرام کا حسن
آغاز ہے عشق، انتہا حسن

* * *

The moon replied, "my dear friends
O you practitioners of nocturnal trends

Motion gives life its manifestation
This around here is an ancient vocation

The cycle of life is in full rotation
The urge to excel is its motivation

To stop on this path is inappropriate
Death lurks for those who hibernate

Those who endeavour forge ahead
Those who tarry are crushed instead

Commitmint whatever is all to the good
End of endeavour is all to the good."

* * *

kahane lagā cānda, ai-hamanaśīno
ai-mazarā-e-śaba ke k̲h̲ośācīno

jumbiśa se hai zindagī jahāṃ kī
yaha rasma qadīma hai yahāṃ kī

hai daud̂atā aśhaba zamānā
khā-khā ke talaba kā tāziyānā

isa raha meṃ maqāma be mahala hai
pośīdā qarāra meṃ ajala hai

calane vāle nikala gaye haiṃ
jo ṭhahare zarā kucala gaye haiṃ

aṃjāma hai isa k̲h̲arāma kā husna
āg̲h̲āza hai iśqa, intehā husna

* * *

कहने लगा चांद, ऐ-हमनशीनो
ऐ-मज़्रा-ए-शब के ख़ोशाचीनो

जुंबिश से है ज़िन्दगी जहां की
यह रस्म क़दीम[1] है यहां की

है दौड़ता अश्हब[2] ज़माना
खा-खा के तलब का ताज़ियाना[3]

इस रह में मक़ाम बे महल है
पोशीदा क़रार में अजल है

चलने वाले निकल गये हैं
जो ठहरे ज़रा कुचल गये हैं

अंजाम है इस ख़राम का हुस्न
आग़ाज़ है इश्क़, इन्तेहा हुस्न

* * *

---

१. पुरानी २. सब्ज़ा घोड़ा जिसके सफ़ेद वालों में काले बाल अधिक हों ३. चुम्बुक

ستاروں سے آگے . . . .

ستاروں سے آگے جہاں اور بھی ہیں
ابھی عشق کے امتحاں اور بھی ہیں

تہی زندگی سے نہیں یہ فضائیں
یہاں سینکڑوں کارواں اور بھی ہیں

قناعت نہ کر عالم رنگ و بو پر
چمن اور بھی آشیاں اور بھی ہیں

اگر کھو گیا اک نشیمن تو کیا غم
مقامات آہ و فغاں اور بھی ہیں

تُو شاہیں ہے پرواز ہے کام تیرا
ترے سامنے آسماں اور بھی ہیں

اسی روز و شب میں الجھ کر نہ رہ جا
کہ تیرے زمان و مکاں اور بھی ہیں

گئے دن کہ تنہا تھا میں انجمن میں
یہاں اب مرے رازداں اور بھی ہیں

* * *

BEYOND THE STARS....

There are beyond the stars other worlds existent
There are in the trail of love other trials persistent

There are myriad caravans trekking in the space
Environs are not devoid of life ever so insistent

There are other habitats and other precincts
For the world of instincts, just be resistant

No reason for you to scold if you lose a hold
With other places as foothold make efforts consistent

You are a falcon breed, flying is your creed
There are many skies to soar for you to be triumphant.

Not to be bogged or bothered by this earthly routine
There are other times and places, however far and distant

There are many here now congenial confidant
Gone are days I was alone, somehow inconsistent

* * *

Sitaroṃ Se Āge....

sitāroṃ ke āge jahāṃ aura bhī haiṃ
abhī iśqa ke imtehāṃ aura bhī haiṃ

tahī zindagī se nahīṃ yaha fizāyeṃ
yahāṃ saiṅkaḓoṃ kāravāṃ aura bhī haiṃ

qināata na kara ālame raṅga-o-bū para
camana aura bhī āśiyāṃ aura bhī haiṃ

agara kho gayā ika naśemana to kyā g̲hama
maqāmāta āha-o-fug̲hāṃ aura bhī haiṃ

tū śāhīṃ hai paravāza hai kāma terā
tere sāmane āsamāṃ aura bhī haiṃ

isī roza-o-śaba meṃ ulajha kara na raha jā
ki tere zamāṃ-o-makāṃ aura bhī haiṃ

gaye dina ke tanhā thā maiṃ anjumana meṃ
yahāṃ aba mere rāzadāṃ aura bhī haiṃ

* * *

सितारों से आगे....

सितारों के आगे जहां और भी हैं
अभी इश्क़ के इम्तेहां और भी हैं

तही ज़िन्दगी से नहीं यह फ़िज़ायें
यहां सैंकड़ों कारवां और भी हैं

क़िनाअत न कर आलमे रंग-ओ-बू पर
चमन और भी आशियां और भी हैं

अगर खो गया इक नशेमन तो क्या ग़म
मक़ामात आह-ओ-फ़ुग़ां और भी हैं

तू शाहीं[1] है परवाज़ है काम तेरा
तेरे सामने आसमां और भी हैं

इसी रोज़-ओ-शब में उलझ कर न रह जा
कि तेरे ज़मां-ओ-मकां और भी हैं

गये दिन के तन्हा था मैं अन्जुमन में
यहां अब मेरे राज़दां और भी हैं

* * *

---

१. बाज़ पक्षी

حقیقتِ حسن

خدا سے حسن نے اک روز یہ سوال کیا
جہاں میں کیوں نہ مجھے تُو نے لازوال کیا
ملا جواب کہ تصویر خانہ ہے دنیا
شب دراز عدم کا فسانہ ہے دنیا
ہوئی ہے رنگ تغیر سے جب نمود اس کی
وہی حسین ہے حقیقت زوال ہے جس کی
کہیں قریب تھا، یہ گفتگو قمر نے سنی
فلک پہ عام ہوئی، اختر سحر نے سنی
سحر نے تارے سے سن کر سنائی شبنم کو
فلک کی بات بتا دی زمیں کے محرم کو
بھر آئے پھول کے آنسو پیام شبنم سے
کلی کا ننھا سا دل خون ہو گیا غم سے
چمن سے روتا ہوا موسم بہار گیا
شباب سیر کو آیا تھا، سوگوار گیا

* * *

BEAUTY AND BREVITY

Beauty one day put this question to Divine
Why on earth you made me subject to decline

Came the answer that world is a hall of mirrors
World is a fable of nothingness, a fallacy it delivers

Ever since world's creation with the hues of change
Only that which does not endure is beautiful in range

Moon was in vicinity, it overheard this discourse
Going the rounds in heaven, stars heard it of course

Dawn heard it from stars, it told the morning dew
The secret of heaven thus revealed to act as cue

Hearing the dew's message, flower was moved to tears
So bud's tender heart was overwhelmed with fears

In garden as it came, spring was in a flurry
Arriving with youthful spirit, but leaving in a hurry

* * *

Haqīqat-E-Husn

k͟hudā se husna ne ika roza yaha savāla kiyā
jahāṃ meṃ kyoṃ na mujhe tūne lā-zavāla kiyā

milā javāba ke tasvīra k͟hānā hai duniyā
śaba-e-darāza adama kā fasānā hai aduniyā

huī hai raṅga tag͟hayyura se jaba numūda usa kī
vahī hasīna hai haqīqata zavāla hai jisakī

kahīṃ qarība thā, yaha guftagu qamara ne sunī
falaka pe āma huī, ak͟htara-e-sahara ne sunī

sahara ne tāre se suna kara sunāī śabanama ko
falaka kī bāta batā dī zamīṃ ke maharama ko

bhara āye phūla ke āṃsū payāma śabanama se
kalī kā nanhā sā dila k͟hūna ho gayā g͟hama se

camana se rotā huā mausama-e-bahāra gayā
śabāba saira ko āyā thā, sogavāra gayā

* * *

हक़ीक़त-ए-हुस्न

ख़ुदा से हुस्न ने इक रोज़ यह सवाल किया
जहां में क्यों न मुझे तूने ला-ज़वाल किया

मिला जवाब के तस्वीर ख़ाना है दुनिया
शब-ए-दराज़ अदम का फ़साना है दुनिया

हुई है रंग तग़य्युर[1] से जब नुमूद[2] उस की
वही हसीन है हक़ीक़त ज़वाल है जिसकी

कहीं क़रीब था, यह गुफ़्तगु क़मर ने सुनी
फ़लक पे आम हुई, अख़्तर-ए-सहर ने सुनी

सहर ने तारे से सुन कर सुनाई शबनम को
फ़लक की बात बता दी ज़मीं के महरम को

भर आये फूल के आंसू पयाम शबनम से
कली का नन्हा सा दिल ख़ून हो गया ग़म से

चमन से रोता हुआ मौसम-ए-बहार गया
शबाब सैर को आया था, सोगवार गया

* * *

१. परिवर्तन   २. आविर्भाव

عقل اور دل

عقل نے اک دن یہ دل سے کہا
بھولے بھٹکے کی رہنما ہوں میں

ہوں زمیں پر، گزر فلک پر مرا
دیکھ تو کس قدر رسا ہوں میں

کام دنیا میں رہبری ہے مرا
مثل خضر، خجستہ پا ہوں میں

ہوں مفسر کتاب ہستی کی
مظہر شان کبریا ہوں میں

بوند اک خون کی تو ہے لیکن
غیرت لعل بے بہا ہوں میں

دل نے سن کر کہا یہ سب سچ ہے
پر مجھے بھی تو دیکھ کیا ہوں میں

INTELLECT AND HEART

Intellect one day said to the heart
"I am a guide to those gone astray

Though bound to earth, I reach the heaven above
Just see how far reaching is my sway

I am cast in the mould of legendary 'Khizr'[1]
I am destined in the world to show the way

I am interpreter of the book of life
I am an attribute of divine display

You are but a drop of blood
I am the envy of ruby's ray."

"It's all true", the heart replied:
"But look at me, be as it may

1. According to legend. 'Khizr' led Alexander to the fonutain of life.

Aql Our Dil

aqla ne ika dina yaha dila se kahā
bhūle bhaṭake kī rahanumā hūṃ maiṃ

hūṃ zamīṃ para, guzara falaka para merā
dekha to kisa qadara rasā hūṃ maiṃ

kāma duniyā meṃ rahabarī merā
misla k̲h̲izar k̲h̲ajastā pā hūṃ maiṃ

hūṃ mufassira kitābe hastī kī
mazahara-e-śāna kibariyā hūṃ maiṃ

dila ne suna kara kahā yaha saba heca hai
para mujhe bhī to dekha kyā hūṃ maiṃ

rāza hastī ko tū samajhatī hai
aura āṃkhoṃ se dekhatā hūṃ maiṃ

अक़्ल और दिल

अक़्ल ने इक दिन यह दिल से कहा
भूले भटके की रहनुमा हूं मैं

हूं ज़मीं पर, गुज़र फ़लक पर मेरा
देख तो किस क़दर रसा हूं मैं

काम दुनिया में रहबरी मेरा
मिस्ल ख़िज़्र ख़स्ता पा हूं मैं

हूं मुफ़स्सिर किताबे हस्ती की
मज़हर-ए-शान किबरिया हूं मैं

दिल ने सुन कर कहा यह सब हेच है
पर मुझे भी तो देख क्या हूं मैं

राज़ हस्ती को तू समझती है
और आंखों से देखता हूं मैं

راز ہستی کو تو سمجھتی ہے
اور آنکھوں سے دیکھتا ہوں میں

ہے تجھے واسطہ مظاہر سے
اور باطن سے آشنا ہوں میں

علم تجھ سے تو معرفت مجھ سے
تُو خدا جو، خدا نما ہوں میں

علم کی انتہا ہے بیتابی
اس مرض کی مگر دوا ہوں میں

شمع تُو محفل صداقت کی
حسن کی بزم کا دیا ہوں میں

تُو زمان و مکاں سے رشتہ بپا
طائر سدرہ آشنا ہوں میں

کس بلندی پہ ہے مقام مرا
عرش رب جلیل کا ہوں میں

* * *

You look at life's trauma and drama
I see through life's white and gray

You deal with outer manifestations
And I am aware of the inner fray

Knowledge is to you, intuition to me
You seek God, I show how to pray

Limit of wisdom is restless doubting
I am cure for the malady of dismay

You are a lantern to illumine a spot
I am a lamp to illumine the way

You deal with the concept of time and space
I deal with the concept of Judgment day

To what lofty place I do belong
I am pedestal of God Almighty, I say."

* * *

hai tujhe vāstā mazāhira se
aura bātina se āśnā hūṃ maiṃ

ilma tujha se to mārifata mujha se
tū k͟hudā jo, k͟hudā numā hūṃ maiṃ

ilma kī intehā hai betābī
isa marza kī magara davā hūṃ maiṃ

śamā to mahafila sadāqata kī
husna kī bazma kā dīyā hūṃ maiṃ

tū zamāna-o-makāṃ se riśtā bapā
tāira sadarā-e-āśnā hūṃ maiṃ

kisa bulandī pe hai maqāma merā
arśa raba-e-jalīla kā hūṃ maiṃ

* * *

है तुझे वास्ता मज़ाहिर[1] से
और बातिन[2] से आश्ना हूं मैं

इल्म तुझ से तो मारिफ़त मुझ से
तू ख़ुदा जो, ख़ुदा नुमा हूं मैं

इल्म की इन्तेहा है बेताबी
इस मर्ज़ की मगर दवा हूं मैं

शमा तो महफ़िल सदाक़त की
हुस्न की बज़्म का दीया हूं मैं

तू ज़मान-ओ-मकां से रिश्ता बपा
ताइर सदरा-ए-आश्ना हूं मैं

किस बुलंदी पे है मक़ाम मेरा
अर्श रब-ए-जलील का हूं मैं

* * *

---

१. उपरी २. आन्तरिक

کنارِ راوی

سکوت شام میں محو سرود ہے راوی
نہ پوچھ مجھ سے جو ہے کیفیت مرے دل کی

سر کنارہ آب رواں کھڑا ہوں میں
خبر نہیں مجھے لیکن کہاں کھڑا ہوں میں

شراب سرخ سے رنگیں ہوا ہے دامن شام
لئے ہے پیر فلک دست رعشہ دار میں جام

عدم کو قافلہ روز تیز گام چلا
شفق نہیں ہے یہ سورج کے پھول ہیں گویا

رواں ہے سینہ دریا پہ اک سفینہ تیز
ہوا ہے موج سے ملاح جس کا گرم ستیز

ON RIVER RAVI'S BANK

In silence of the evening, Ravi is in full flow
Don't ask me as how my mind is all aglow

On the bank of flowing river I find myself standing
Though where infact I am, I have little understanding

Twilight has all but dyed the evening's apparel red
Reddish wine with trembling hand old heaven has shed

To destination of nothingness day's caravan is heading
And in the form of farewell are sun's hues shedding

On the river's surface is a boat sailing fast
With waves the sailor battles and is sailing before the mast

Kinār-E-Rāvī

sukūta śāma meṃ mahave sarūda hai rāvī
na pūcha mujhase jo hai kaifiyata mere dila kī

sara-e-kinārā ābe ravāṃ khaḍā hūṃ maiṃ
khabara nahīṃ mujhe lakina kahāṃ khaḍā hūṃ maiṃ

śarāba-e-surkha se raṅgīna huā hai dāmana-e-śāma
liye hai pīra-e-falaka dasta-e-rāśā dāra meṃ jāma

adama ko qāfilā roza teza gāma calā
śafaqa nahīṃ hai yaha sūraja ke phūla haiṃ goyā

ravāṃ hai sīnā-e-ḍariyā pe ika safīnā teza
huā hai mauja se mallāha jisa kā garma sateza

किनार-ए-रावी

सुकूत शाम में महवे सरूद है रावी
न पूछ मुझसे जो है कैफ़ियत मेरे दिल की

सर-ए-किनारा आबे रवां खड़ा हूं मैं
ख़बर नहीं मुझे लेकिन कहां खड़ा हूं मैं

शराब-ए-सुर्ख़ से रंगीन हुआ है दामन-ए-शाम
लिये है पीर-ए-फ़लक दस्त-ए-राशा दार में जाम

अदम को क़ाफ़िला रोज़ तेज़ गाम चला
शफ़क़ नहीं है यह सूरज के फूल हैं गोया

रवां है सीना-ए-दरिया पे इक सफ़ीना तेज़
हुआ है मौज से मल्लाह जिस का गर्म सतेज़

سبک روی میں ہے مثل نگاہ یہ کشتی
نکل سے حلقہ حد نظر سے دور گئی

جہاز زندگی آدمی رواں ہے یونہی
ابد کے بحر میں پیدا یونہی، نہاں یوں ہی

شکست سے یہ کبھی آشنا نہیں ہوتا
نظر سے چھپتا ہے، لیکن فنا نہیں ہوتا

* * *

In speeding terms, the boat is no less than human vision
Crossing the limit of sight, it is out of common vision

The boat of human life is similarly voyaging
In eternal ocean bobbing, submerging and emerging

It never allows itself to be acquainted with defeat
It may become invisible, but is impossible to beat

* * *

sabuka ravī meṃ hai misla-e-nigāha yaha kaśtī
nikala ke halaqa-e-hade nazara se dūra gayī

jahāza-e-zindagī ādamī ravāṃ hai yūṃhī
abada ke bahar meṃ paidā yūṃhī, nihāṃ yūṃhī

śikasta se yaha kabhī āśnā nahīṃ hotā
nazara se chupatā hai lekina fanā nahīṃ hotā

✸ ✸ ✸

सबुक रवी में है मिस्ल-ए-निगाह यह कश्ती
निकल के हलक़-ए-हदे नज़र से दूर गयी

जहाज़-ए-ज़िन्दगी आदमी रवां है यूंही
अबद के बह्र में पैदा यूंही, निहां यूंही

शिकस्त से यह कभी आश्ना नहीं होता
नज़र से छुपता है लेकिन फ़ना नहीं होता

* * *

شمع و پروانہ

پروانہ تجھ سے کرتا ہے اے شمع پیار کیوں
یہ جان بے قرار ہے تجھ پر نثار کیوں

سیماب وار رکھتی ہے تیری ادا اسے
آداب عشق تُو نے سکھائے ہیں کیا اسے

کرتا ہے یہ طواف تری جلوہ گاہ کا
پھونکا ہوا ہے کیا تری برق نگاہ کا

آزار موت میں اسے آرام جاں ہے کیا
شعلے میں تیرے زندگی جاوداں ہے کیا

غم خانہ جہاں میں جو تیری ضیاء نہ ہو
اس تفتہ دل کا نخل تمنا ہرا نہ ہو

CANDLE AND MOTH

Why, O candle, is moth so amused by you
Why is this restless soul so bemused by you

Such mercurial temperament it shows in front of you
Such mannerisms of love, has it learnt from you

Your luminary body it circumambulates
As if it is subservient to your eye's dictates

Does it find such solace in the pain fo death?
Does it in your flame find an eternal breath?

If light you do not shed on this world of sorrow
Its soul in torment sure will despair of tomorrow

Śamā Va Paravānā

paravānā tujha se karatā hai ai śamā pyāra kyoṃ
yaha jāna be qarāra hai tujha para nisāra kyoṃ

sīmāba vāra rakhatī hai terī adā use
ādābe iśqa tūne sikhāye haiṃ kyā use

karatā hai yaha tavāfa terī jalavā gāha kā
phūṅkā huā hai kyā terī barqe nigāha kā

āzāra mauta meṃ use ārāma jāṃ hai kyā
śaule meṃ tere zindagī jāvidāṃ hai kyā

g̲hamakh̲ānā-e-jahāṃ meṃ jo terī ziyā na ho
isa tafatā dila kā nakh̲le tamannā harā nā ho

शमा व परवाना

परवाना तुझ से करता है ऐ शमा प्यार क्यों
यह जान बे-क़रार है तुझ पर निसार क्यों

सीमाब वार रखती है तेरी अदा उसे
आदाबे इश्क़ तूने सिखाये हैं क्या उसे

करता है यह तवाफ़[१] तेरी जलवा गाह का
फूंका हुआ है क्या तेरी बर्क़े निगाह का

आज़ार मौत में उसे आराम जां है क्या
शोले में तेरे ज़िन्दगी जाविदां है क्या

ग़मख़ाना-ए-जहां में जो तेरी ज़िया न हो
इस तफ़्तः[२] दिल का नख़्ले तमन्ना हरा ना हो

---

१. परिक्रमा २. जला हुआ

گرنا ترے حضور میں اس کی نماز ہے
ننھے سے دل میں لذت سوزو گداز ہے

کچھ اس میں جوش عاشق حسن قدیم ہے
چھوٹا سا طور تو، یہ ذرا سا کلیم ہے

پروانہ اور ذوق تماشائے روشنی
کیڑا ذرا سا اور تمنائے روشنی

* * *

All its prayer culminates in surrender at your feet
How its tiny heart with compassion is replete

How it is reminder of the lovers of days of yore
It is as if a tiny Moses for your tiny Tur.

This moth! and such passion for pursuing light
This insect! and such zest for viewing light!

✸ ✸ ✸

giranā tere huzūra meṃ usakī namāza hai
nanhe se dila meṃ lazzata soza-o-gudāza hai

kucha isa meṃ jośa āśiqā-e-husne qadīma hai
choṭā sā tūra tū, yaha zarā sā kalīma hai

paravānā aura zauqe tamāśā-e-rośanī
kīḍā zarā sā aura tamannā-e-rośanī

* * *

गिरना तेरे हुज़ूर में उसकी नमाज़ है
नन्हे से दिल में लज़्ज़त सोज़-ओ-गुदाज़ है

कुछ इस में जोश आशिक़-ए-हुस्ने क़दीम है
छोटा, सा तूर तू, यह ज़रा सा कलीम है

परवाना और ज़ौके़ तमाशा-ए-रोशनी
कीड़ा ज़रा सा और तमन्ना-ए-रोशनी

* * *

بزمِ انجم

حسن ازل ہے پیدا تاروں کی دلبری میں
جس طرح عکس گل ہو شبنم کی آرسی میں

آئین نو سے ڈرنا، طرز کہن پہ اڑنا
منزل یہی کٹھن ہے قوموں کی زندگی میں

یہ کاروانِ ہستی ہے تیز گام ایسا
قومیں کچل گئی ہیں جس کی رواروی میں

آنکھوں سے ہے ہماری غائب ہزاروں انجم
داخل ہیں وہ بھی لیکن اپنی برادری میں

اک عمر میں نہ سمجھے اس کو زمین والے
جو بات پا گئے ہم تھوڑی سے زندگی میں

ہے جذب باہمی سے قائم نظام سارے
پوشیدہ ہے یہ نکتہ تاروں کی زندگی میں

* * *

STARS' ENCLAVE

In twinkling of the stars is found beauty of creation refracted
As in mirror of dew is found beauty of flower reflected

To be afraid of any reform, to insist on ancient norm
This is a crucial challenge in the life of nations injected

Caravan of history marches compellingly fast
Nations in their indolence may find themselves impacted

Before our very eyes, thousands of stars have vanished
But never are they banished, in no sense are they rejected

For long the earthlings missed the meaning of the message
What meaning in short existence we have thus detected

All systems of the universe are based on mutual sentiment
Hidden this point is lying in the life of stars perfected

* * *

Bazm-E-Aṃjum

husna azala hai paidā tāroṃ kī dilabarī meṃ
jisa taraha aksa-e-gula ho śabanama kī ārasī meṃ

āīna-e-nau se ḍaranā, tarze kuhana pe uḍanā
mañzila yahī kaṭhina hai qaumoṃ kī zindagī meṃ

yaha kāravāne hastī hai teza gāma aisā
qaumeṃ kucala gayī haiṃ jisa kī ravā ravī meṃ

āṃkhoṃ se hai hamārī g̲h̲āyaba hazāroṃ aṃjuma
dāk̲h̲ila haiṃ vo bhī lekina apanī barādarī meṃ

ika umar meṃ na samajhe usako zamīna vāle
jo bāta pā gaye hama thoḍī sī zindagī meṃ

hai jazba-e-bāhamī se qāyama nizāma sāre
pośīdā hai yaha nuqtā tāroṃ kī zindagī meṃ

✹ ✹ ✹

बज़्म-ए-अंजुम

हुस्न अज़ल है पैदा तारों की दिलबरी में
जिस तरह अक्स-ए-गुल हो शबनम की आरसी में

आईन-ए-नौ से डरना, तरज़े कुहन पे उड़ना
मंज़िल यही कठिन है क़ौमों की ज़िन्दगी में

यह कारवाने हस्ती है तेज़ गाम ऐसा
क़ौमें कुचल गयी हैं जिस की रवा रवी में

आंखों से है हमारी ग़ायब हज़ारों अंजुम
दाख़िल हैं वो भी लेकिन अपनी बरादरी में

इक उम्र में न समझे उसको ज़मीन वाले
जो बात पा गये हम थोड़ी सी ज़िन्दगी में

है जज़्ब-ए-बाहमी से क़ायम निज़ाम सारे
पोशीदा है यह नुक्ता तारों की ज़िन्दगी में

* * *

صبح کا ستارہ

ستارہ صبح کا روتا تھا اور یہ کہتا تھا
ملی نگاہ، مگر فرصت نظر نہ ملی

ہوئی ہے زندہ دم آفتاب سے ہر شے
اماں مجھی کو تہ دامن سحر نہ ملی

کہا یہ میں نے کہ اے زیور جبین سحر
غم فنا ہے تجھے، گنبد فلک سے اتر

ٹپک بلندی گردوں سے ہمرہ شبنم
مرے ریاض سخن کی فضا ہے جاں پرور

میں باغباں ہوں، محبت بہار ہے اس کی
بنا مثال ابد پائدار ہے اس کی

* * *

A MORNING STAR

The morning star was making fuss and was speaking thus
"I was given the eye to focus but no time for any vision

Though everything has come to life, thanks to sun's provision
yet for me in the morning fold no refuge or lien

Ah! what can poor morning star hold or behold
A bubble's span of life or transient light to unfold"

"O you jewel!", I said, "embellishing morning's forehead
Of mortality you are in dread, descend from heaven's spread

From the loftly sky, catapult with the morning dew
Environs favourable you will find in my garden stead

I nurture with utmost care, love is my fruition
It is durable as eternity, its basis is intuition"

* * *

Subah Kā Sitārā

sitārā subaha kā rotā thā aura kahatā thā
milī nigāha, magara furasata-e-nazara na milī

huī hai zindā dame āfatāba se hara śai
amāṃ mujhī ko tahe dāmana-e-sahara na milī

kahā yaha maiṃ ne ke ai-zevara jabīṃ sahara
g̲hama fanā hai tujhe, gumbada-e-falaka se utara

ṭapaka bulandī garadūṃ se hamarahe śabanama
mere riyāze suk̲hana kī fizā hai jāṃ paravara

maiṃ bāg̲habāṃ hūṃ, mohabbata bahāra hai isa kī
banā misāla abada pāyadāra hai isakī

✹ ✹ ✹

सुबह का सितारा

सितारा सुबह का रोता था और कहता था
मिली निगाह, मगर फ़ुर्सत-ए-नज़र न मिली

हुई है ज़िन्दा दमे आफ़ताब से हर शै
अमां मुझी को तहे दामन-ए-सहर न मिली

कहा यह मैं ने के ऐ-ज़ेवर जबीं सहर
ग़म फ़ना है तुझे, गुम्बद-ए-फ़लक से उतर

टपक बुलन्दी गरदूं से हमरहे शबनम
मेरे रियाज़े सुख़न की फ़िज़ा है जां परवर

मैं बाग़बां हूं, मोहब्बत बहार है इस की
बना मिसाल अबद पायदार है इसकी

* * *

کوششِ ناتمام

فرقتِ آفتاب میں کھاتی ہے پیچ و تاب صبح
چشمِ شفق ہے خوں فشاں اخترِ شام کے لئے

رہتی ہے قیس روز کو لیلیٰ شام کی ہوس
اخترِ صبح مضطرب تابِ دوام کے لئے

کہتا تھا قطبِ آسماں قافلہ نجوم سے
ہمرہو! میں ترس گیا لطفِ خرام کے لئے

سوتوں کو ندیوں کا شوق، بحر کا ندیوں کو شوق
موجۂ بحر کو تپش ماہِ تمام کے لئے

حسنِ ازل کہ پردۂ لالہ و گل میں ہے نہاں
کہتے ہیں بیقرار ہے جلوۂ عام کے لئے

رازِ حیات پوچھ لے خضرِ خجستہ گام سے
زندہ ہر ایک چیز ہے کوششِ ناتمام سے

* * *

UNQUENCHED QUEST

Pining for sun, morning is yearning to be united
For evening star, twilight eye is reddened and exited

Daylight is obsessed with its quest for evening hour
Morning star is distressed that its brilliance will be slighted

The pole star confided thus to Big Bear Constellation
O friends, how I deplore that my wander-lust is blighted

Streams long for rivulets, rivulets long for ocean
For waxing moon, the ocean wave is feverishly incited

Ever since creation of world, beauty hidden in flowers
Is stated to be in restless state to be veiwed and delighted

You ask the wizened 'Khizr' to know the elixir of life
That every thing is kept alive by perseverance in strife

* * *

1. 'Khizr' led Alexander the Great to the fountain of life, accordin to legend.

Kośiś-E-Nā-Tamām

furqata āfatāba meṃ khātī hai peca-o-tāba subaha
caśme śafaqa hai <u>kh</u>ūṃ-fiśāṃ śāma ke liye

rahatī hai qaisa-e-roza ko lailā-e-śāma kī havasa
a<u>kh</u>tara-e-subaha muzatariba tāba davāma ke liye

kahatā thā qutbe āsamāṃ qāfilā najūma se
hamaraho! maiṃ tarasa gayā lutfa <u>kh</u>arāma ke liye

sotoṃ ko nadiyoṃ kā śauqa, bahar kā nadiyoṃ ko śauqa
mauja-e-bahar ko tapiśa māhe tamāma ke liye

husna azala ke pardā-e-lāla-o-gula meṃ hai nihāṃ
kahate haiṃ be-qarāra hai jalavā āma ke liye

rāza-e-hayāta pūchalea <u>kh</u>izare <u>kh</u>ujastā gāma se
zindā hara eka cīza hai kośaśa-e-nātamāma se

* * *

कोशिश-ए-नातमाम

फुर्क़त आफ़ताब में खाती है पेच-ओ-ताब सुबह
चश्मे शफ़क़ है ख़ूं-फ़िशां शाम के लिये

रहती है क़ैस-ए-रोज़ को लैला-ए-शाम की हवस
अख़्तर-ए-सुबह मुज़तरिब ताब दवाम के लिये

कहता था क़ुत्बे आसमां क़ाफ़िला नजूम से
हमरहो! मैं तरस गया लुत्फ़े ख़राम के लिये

सोतों को नदियों का शौक़, बह्र का नदियों को शौक़
मौज-ए-बह्र को तपिश माहे तमाम के लिये

हुस्न अज़ल के पर्दा लाल-ओ-गुल में है निहां
कहते हैं बे-क़रार है जलवा आम के लिये

राज़-ए-हयात पूछले ख़िज़्रे खुजस्ता[1] गाम से
ज़िन्दा हर एक चीज़ है कोशिश-ए-नातमाम से

* * *

---

१. मुबारक

موجِ دریا

مضطرب رکھتا ہے میرا دل بیتاب مجھے
عین ہستی ہے تڑپ صورت سیماب مجھے
موج ہے نام مرا، بحر ہے پایاب مجھے
ہو نہ زنجیر کبھی حلقہ گرداب مجھے
آب میں مثل ہوا ہو جاتا ہے تو سن میرا
خار ماہی سے نہ اٹکا کبھی دامن میرا

میں اچھلتی ہوں کبھی جذبہ مہ کامل سے
جوش میں سر کو پٹکتی ہوں کبھی ساحل سے
ہوں وہ رہرو کہ محبت ہے مجھے منزل سے
کیوں تڑپتی ہوں، یہ پوچھے کوئی میرے دل سے
زحمت تنگی دریا سے گریزاں ہوں میں
وسعت بحر کی فرقت میں پریشاں ہوں میں

* * *

RIVER WAVE

Restlessness of heart keeps me in a ferment
Restlessness is my life, like a mercurial element
My name is wave, for ocean I am ever fervent
My spirit to vortex of storm can never be subservient
My steed is brisk as breeze, travelling in midst of water
I give the shark a short shrift even as a starter

Attracted by waxing moon, I take a mighty leap
In a fit of passion sometimes I strike the coastal sweep
Lovelorn like any traveller, tryst with destination I keep
Let someone ask my heart why I toss and creep
From the stymied, stifled shore how I try to flee
With ocean's wide expanse, I wish to merge with glee

* * *

Mauj-E-Dariyā

muztariba rakhatā hai merā dila-e-betāba mujhe
eaina hastī hai taḓapa sūrat sīmāba mujhe
mauja hai nāma merā, bahar hai pāyāba mujhe
ho na zañjīra kabhī halaqa-e-garadāba mujhe
āba meṃ misla-e-havā huā jātā hai tausana merā
k͟hāra-e-māhī se na aṭakā kabhī dāmana merā

maiṃ uchalatī hūṃ kabhī jazbā-e-kāmila se
jośa meṃ sara ko paṭakatī hūṃ kabhī sāhila se
hūṃ vo rahamo ke mohabbata hai mujhe mañzila se
kyoṃ taḓapatī hūṃ yaha pūche koī mere dila se
zahamata taṅgī-e-dariyā se gurezāṃ hūṃ maiṃ
vusate bahar kī furaqat meṃ pareśāṃ hūṃ maiṃ

* * *

मौज-ए-दरिया

मुज़्तरिब[1] रखता है मेरा दिल-ए-बेताब मुझे
ऐन हस्ती है तड़प सूरते सीमाब मुझे
मौज है नाम मेरा, बह्र[2] है पायाब मुझे
हो न ज़ंजीर कभी हलक़ा-ए-गरदाब मुझे
आब में मिस्ल-ए-हवा हुआ जाता है तौसन[3] मेरा
ख़ार-ए-माही से न अटका कभी दामन मेरा

मैं उछलती हूं कभी जज़्ब-ए-मै कामिल से
जोश में सर को पटकती हूं कभी साहिल से
हूं वो रहरौ के मोहब्बत है मुझे मंज़िल से
क्यों तड़पती हूं यह पूछे कोई मेरे दिल से
ज़हमत तंगी-ए-दरिया से गुरेज़ां हूं मैं
वुस्अते बह्र की फुर्क़त में परेशां हूं मैं

* * *

१. बेचैन २. समुन्दर ३. घोड़ा

جگنو

پروانہ اک پتنگا، جگنو بھی اک پتنگا
وہ روشنی کا طالب، یہ روشنی سراپا

ہر چیز کو جہاں میں قدرت نے دلبری دی
پروانے کو تپش دی، جگنو کو روشنی دی

رنگین نوا بنایا مرغانِ بے زباں کو
گل کو زبان دے کر تعلیمِ خامشی دی

نظارۂ شفق کی خوبی زوال میں تھی
چمکا کو اس پری کو تھوڑی سی زندگی دی

رنگیں کیا سحر کو بانکی دلہن کی صورت
پہنا کے لال جوڑا شبنم کی آرسی دی

GLOWWORM

Moth is a tiny insect, gloworm also an insect
One is possessed of light, one is possessed of zest

Each thing in world is gifted with an attractive significance
Moth is gifted with passion, glowworm with incandescence

Birds are gifted so with their soulful chirping
Flowers are gifted with scent and their efflorescence

Beauty of twilight is hidden in its brief existence
This fairy so resplendent is so prone to evanescence

Dawn is made colourful in the form of bride
Caparisoned in red it is bedecked with the dewy brilliance

Juganū

paravānā ika pataṅgā, juganū bhī ika pataṅgā
vo rośanī kā tāliba, yaha rośanī sarāpā

hara cīza ko jahāṃ meṃ qudarata ne dilabarī dī
paravāne ko tapiśa dī, juganū ko rośanī dī

raṅgīna navā banāyā muraghāna-e-bezubāṃ ko
gula ko zubāna de kara tālīma-e-k͟hāmuśī dī

nazārā-e-śafaqa kī k͟hūbī zavāla meṃ thī
camakā ke isa parī ko thoḍī sī zindagī dī

raṅgīṃ kiyā sahara ko bāṅkī dulahana kī sūrata
pahanā ke lāla joḍā śabanama kī ārasī dī

जुगनू

परवाना इक पतंगा, जुगनू भी इक पतंगा
वो रोशनी का तालिब, यह रोशनी सरापा

हर चीज़ को जहां में कुदरत ने दिलबरी दी
परवाने को तपिश दी, जुगनू को रोशनी दी

रंगीन नवा बनाया मुरग़ान-ए-बेजुबां को
गुल को जुबान दे कर तालीम-ए-ख़ामुशी दी

नज़ारा-ए-शफ़क़ की ख़ूबी ज़वाल में थी
चमका के इस परी को थोड़ी सी ज़िन्दगी दी

रंगीं किया सहर को बांकी दुलहन की सूरत
पहना के लाल जोड़ा शबनम की आरसी दी

سایہ دیا شجر کو، پرواز دی ہوا کو
پانی کو دی روانی، موجوں کو بے کلی دی

حسن ازل کی پیدا ہر چیز میں جھلک ہے
انساں میں وہ سخن ہے، غنچے میں وہ چٹک ہے

یہ چاند آسماں کا شاعر کا دل ہے گویا
واں چاندنی ہے جو کچھ، یاں درد کی کسک ہے

انداز گفتگو نے دھوکے دیئے ہیں ورنہ
نغمہ ہے بوئے بلبل، بو پھول کی چہک ہے

کثرت میں ہو گیا ہے وحدت کا راز مخفی
جگنو میں جو چمک ہے وہ پھول میں مہک ہے

یہ اختلاف پھر کیوں ہنگاموں کا محل ہو
ہر شے میں جبکہ پنہاں خاموشی ازل ہو

* * *

Trees are gifted with shade, wind with wingless flight
Water is gifted with flow, waves with effervescence

We glimpse ethereal beauty in everything extant
For humans it is the speech, in buds their budding chant

Moon in the sky reflects as if a poet's torment
What lighting is in heaven, on earth a pain dormant

It is trickery of perception, otherwise rightly so
Bird's soulful singing is flower's wafting scent

In diversity lies submerged the secret of basic unity
What glow is for a glowworm is flower's sweet content

Why then should this distinction be leading to dissent
When every thing is hiding silent eternal intent

* * *

sāyā diyā śajara ko paravāza dī havā ko
pānī ko dī ravānī maujoṃ ko be-kalī dī

husna-e-azala kī paidā hara cīza meṃ jhalaka hai
insāṃ meṃ vo sukhana hai, ghunce meṃ vo caṭaka hai

yaha cānda āsamāṃ kā śāyara kā dila hai goyā
vāṃ cāndanī hai jo kucha, yāṃ darda kī kasaka hai

aṃdāza-e-guftagu ne dhokea diye haiṃ varnā
naghamā hai bū-e-bulabula, bū phūla kī cahaka hai

kasrata meṃ ho gayā hai vahadata kā rāza mukhfī
juganū meṃ jo camaka hai vo phūla meṃ mahaka hai

yaha ikhtilāfa phira kyo haṅgāmoṃ kā mahala ho
hara śai meṃ jabake panahāṃ khamośī-e-azala ho

✹ ✹ ✹

साया दिया शजर को परवाज़ दी हवा को
पानी को दी रवानी मौजों को बे-कली दी

हुस्न-ए-अज़ल की पैदा हर चीज़ में झलक है
इन्सां में वो सुख़न है, गुन्चे में वो चटक है

यह चांद आसमां का शायर का दिल है गोया
वां चांदनी है जो कुछ, यां दर्द की कसक है

अंदाज़-ए-गुफ़्तगु ने धोके दिये हैं वर्ना
नग़मा है बू-ए-बुलबुल, बू फूल की चहक है

कसरत[१] में होगया है वहदत[२] का राज़ मख़्फ़ी[३]
जुगनू में जो चमक है वो फूल में महक है

यह इख़्तिलाफ़[४] फिर क्यों हंगामों का महल हो
हर शै में जबके पनहां ख़ामोशी-ए-अज़ल हो

* * *

१. प्रचूरता   २. एकता   ३. छुपा हुआ   ४. विरोध

تصویرِ درد

عطا ایسا بیاں مجھ کو ہوا رنگیں بیانوں میں
کہ بام عرش کے طائر ہیں میرے ہم زبانوں میں

رلاتا ہے ترا نظارہ اے ہندوستاں مجھ کو
کہ عبرت خیز ہے تیرا فسانہ سب فسانوں میں

چھپا کر آستیں میں بجلیاں رکھی ہیں گردوں نے
عنادل باغ کے غافل نہ بیٹھیں آشیانوں میں

وطن کی فکر کر ناداں! مصیبت آنے والی ہے
تری بربادیوں کے مشورے ہیں آسمانوں میں

نہ سمجھو گے تو مٹ جاؤ گے اے ہندوستاں والو
تمہاری داستاں تک بھی نہ ہو گی داستانوں میں

یہی آئین قدرت ہے یہی اسلوب فطرت ہے
جو ہے راہ عمل میں گامزن محبوب فطرت ہے

* * *

PAINFUL PICTURE

Among colurful interlocutors I was granted loquacious facility
The angels in heaven above are co-sharers of my ability

O subcontinent of India! your survey is painful for me
Your story is evocative with all the excitability

Heaven is keeping lightning flashes lurking up its sleeve
Nightingales may not rest in nests with credulity

For your country be on guard, trouble is round the corner
Heavens are plotting your nemesis with all the credibility

You just beware of present times and those in the future
What is there in the past with its tales of gullibility

Unless you wake, my countrymen! you will be obliterated
Your story will not be listed among the ones for readability

This is how God has willed, for nature to operate
Whoever endeavuor righteously endear themselves to fate

* * *

Tasvīr-E-Dard

atā aisā bayāṃ mujhako huā raṅgīṃ bayānoṃ meṃ
ke bāma-e-arśa ke tāira haiṃ mere hamazubānoṃ meṃ

rūlātā hai terā nazārā ai-hindustāna mujhako
ke ibarata k͟heza hai terā fasānā saba fasānoṃ meṃ

chupā kara āstīṃ meṃ bijaliyāṃ rakhī haiṃ gardūṃ ne
anādila bāg͟ha ke g͟hafila na baiṭhe āśiyānoṃ meṃ

vatana kī fikar kara nādāṃ! musībata āne vālī hai
terī barabādiyoṃ ke maśvare haiṃ āsamānoṃ meṃ

na samajhoge to miṭa jāoge ai-hindustāṃ vāloṃ
tumhārī dāstāṃ taka bhī na hogī dāstānoṃ meṃ

yahī āīna-e-qudarata hai, yahī usalūba-e-fitrata hai
jo hai rāha-e-amala meṃ gāmazana mahabūba-e-fitrata hai

* * *

तस्वीर-ए-दर्द

अता ऐसा बयां मुझको हुआ रंगीं बयानों में
के बाम-ए-अर्श के ताइर[१] हैं मेरे हमज़ुबानों में

रुलाता है तेरा नज़ारा ऐ-हिन्दुस्तान मुझको
के इबरत ख़ेज़ है तेरा फ़साना सब फ़सानों में

छुपा कर आस्तीं में बिजलियां रखी हैं गरदूं[२] ने
अनादिल[३] बाग़ के ग़ाफ़िल न बैठें आशियानों में

वतन की फ़िक्र कर नादां! मुसीबत आने वाली है
तेरी बरबादियों के मश्वरे हैं आसमानों में

न समझोगे तो मिट जाओगे ऐ-हिन्दुस्तां वालों
तुम्हारी दास्तां तक भी न होगी दास्तानों में

यही आईन-ए-कुदरत है, यही उसलूब-ए-फ़ित्रत है
जो है राह-ए-अमल में गामज़न महबूब-ए-फ़ित्रत है

* * *

---

१. पक्षी २. आकाश ३. बुलबुलें

فرشتے آدم کو جنت سے رخصت کرتے ہیں

عطا ہوئی ہے تجھے روز و شب کی بیتابی
خبر نہیں کہ تو خاکی ہے یا کہ سیمابی

سنا ہے خاک سے تیری نمود ہے لیکن
تری سرشت میں ہے کوکبی و مہتابی

جمال اپنا اگر خواب میں بھی تو دیکھے
ہزار ہوش سے خوشتر تری شکر خوابی

گراں بہا ہے ترا گریہ سحر گاہی
اسی سے ہے ترے نخل کہن کی شادابی

تری نوا سے ہے بے پردہ زندگی کا ضمیر
کہ تیرے ساز کی فطرت نے کی ہے مضرابی

* * *

ANGELS BID FAREWELL TO ADAM IN PARADISE

You have been endowed with restlessness of night and day
For all we know you are earthling or some mercurial clay

We understand your constitution from the earthen soil
But heavenly constituents in your nature are there for display

If you see your own vision in your own dream
Then far better your somnolence than wakefulness to bay

Your prayerful tears at crack of dawn are extremely valuable
They help to nurture your sapling to mature for life's affray

Your melody helps divulge life's inner urge
Nature has put together your strings of musical play

* * *

Fariśte Ādam Ko Jannat Se Rūk͟hsat Karate Haiṃ

atā huī hai tujhe roza-o-śaba kī betābī
k͟habara nahīṃ ke tū k͟hākī hai yā ke sīmābī

sunā hai k͟hāka se terī numūda hai, lekina
terī siriśta meṃ hai kokabī-o-mahatābī

jamāla apanā agara k͟hvāba meṃ bhī tū dekhe
hazāroṃ hośa se k͟huśtara terī śakara k͟hvābī

girāṃ bahā hai terā girayā-e-sahara gāhī
usī se hai tere nak͟hle-kuhana kī śādābī

terī navā se hai be pardā zindagī kā zamīra
ke tere sāza kī fitrata ne kī hai mizarābī

✹ ✹ ✹

फ़रिश्ते आदम को जन्नत से रुख़सत करते हैं

अता हुई है तुझे रोज़-ओ-शब की बेताबी
ख़बर नहीं के तू ख़ाकी है या के सीमाबी[१]

सुना है ख़ाक से तेरी नुमूद है, लेकिन
तेरी सिरिश्त[२] में है कोकबी-ओ-महताबी

जमाल अपना अगर ख़्वाब में भी तू देखे
हज़ारों होश से ख़ुश्तर तेरी शकर ख़्वाबी

गिरां बहा है तेरा गिरया-ए-सहर गाही
उसी से है तेरे नख़्ले-कुहन की शादाबी

तेरी नवा से है बे पर्दा ज़िन्दगी का ज़मीर
के तेरे साज़ की फ़ित्रत ने की है मिज़राबी

✱ ✱ ✱

१. पारे का बना हुआ २. स्वभाव

○ ○ ○

گیسوئے تابدار کو اور بھی تابدار کر
ہوش و خرد شکار کر، قلب و نظر شکار کر

عشق بھی ہو حجاب میں، حسن بھی ہو حجاب میں
یا تو حود آشکار ہو، یا مجھے آشکار کر

تُو ہے محیط بیکراں، میں ہوں ذراسی آبجو
یا مجھے ہمکنار کر، یا مجھے بیکنار کر

میں ہوں صدف تو تیرے ہاتھ میرے گہر کی آبرو
میں ہوں خزف تو تُو مجھے گوہر شاہوار کر

باغ بہشت سے مجھے حکم سفر دیا تھا کیوں
کار جہاں دراز ہے اب میرا انتظار کر

روز حساب جب میرا پیش ہو دفتر عمل
آپ بھی شرمسار ہو، مجھ کو بھی شرمسار کر

✱ ✱ ✱

O O O

Emblazon the embellished tresses just a shade better
Ensnare the head and heart, ensnare the mind and matter

Love may be in hiding, so also beauty in hiding
You either reveal yourself or allow the view of the latter

You are a mighty ocean, I am a tiny rivulet
Either you swallow me whole or let me all scatter

If I am a guardian shell, you help me protect the pearl
If I am a gem, you polish me and put me on a platter

Why from garden of Eden, You had ordered my expulsion
Errands of earth are pressing now, my return no urgent matter

When on day of Judgment is my balance sheet presented
You feel a twinge of embarrassmet, my self also bespatter

* * *

○ ○ ○

gesū-e-tābadāra ko aura bhī tābadāra kara
hośa-o-kharośakāra kara, qalba-o-nazara śikāra kara

iśqa bhī ho hijāba meṃ, husna bhī ho hijāba meṃ
yā to khuda āśkāra ho yā mujhe āśkāra kara

tū hai muhīta-e-bekarāṃ, maiṃ hūṃ zarā sī ābajū
yā mujhe hamakināra kara yā mujhe bekināra kara

maiṃ hūṃ sadafa to tere hātha mere guhara kī ābarū
maiṃ hūṃ khazafa to tū mujhe gauhara-e-śāhavāra kara

bāgha-e-bahiśta se mujhe hukma-e-safara diyā thā kyoṃ
kāra-e-jahāṃ darāza hai aba merā intezāra kara

roze hisāba jaba merā peśa ho dafatara-e-amala
āpa bhī śarmasāra ho, mujha ko bhī śarmasāra kara

✸ ✸ ✸

○ ○ ○

गेसू-ए-ताबदार को और भी ताबदार कर
होश-ओ-ख़रोशकार कर, क़ल्ब-ओ-नज़र शिकार कर

इश्क़ भी हो हिजाब में, हुस्न भी हो हिजाब में
या तो खुद आश्कार हो या मुझे आश्कार कर

तू है मुहीत-ए-बेकरां, मैं हूं ज़रा सी आबजू
या मुझे हमकिनार कर, या मुझे बेकिनार कर

मैं हूं सदफ़ तो तेरे हाथ मेरे गुहर की आबरू
मैं हूं ख़ज़फ़[1] तो तू मुझे गौहर-ए-शाहवार कर

बाग़-ए-बहिश्त से मुझे हुक्म-ए-सफ़र दिया था क्यों
कार-ए-जहां दराज़ है अब मेरा इन्तज़ार कर

रोज़े हिसाब जब मेरा पेश हो दफ़्तर-ए-अमल
आप भी शर्मसार हो, मुझ को भी शर्मसार कर

✸ ✸ ✸

---

१. ठीकरा

○ ○ ○

غلامی میں نہ کام آتی شمشیریں نہ تدبیریں
جو ہو ذوق یقیں پیدا تو کٹ جاتی ہیں زنجیریں

کوئی اندازہ کر سکتا ہے اس کے زور بازو کا
نگاہ مرد مومن سے بدل جاتی ہیں تقدیریں

ولایت پادشاہی، علم، اشیاء کی جہانگیری
یہ سب کیا ہیں فقط اک نکتہ ایماں کی تفسیریں

براہیمی نظر پیدا مگر مشکل سے ہوتی ہے
ہوس چھپ چھپ کے سینوں میں بنا لیتی ہیں تصویریں

تمیز بندہ و آقا فساد آدمیت ہے
حذر اے چیرہ دستاں سخت ہیں فطرت کی تعزیریں

حقیقت ایک ہے ہر شے کی خاکی ہو کہ نوری ہو
لہو خورشید کا ٹپکے، اگر ذرے کا دل چیریں

یقیں محکم، عمل پیہم، محبت فاتح عالم
جہادِ زندگانی میں یہ ہیں مردوں کی شمشیریں

* * *

O O O

To break the human bondage, no sword, no skill avail
When force of faith is born, chains cannot prevail

Who can throw a challenge to the strength of his sinews
Man of faith can change the fate, his efforts cannot fail

Territory and its tutelage, knowledge and resource
What are these but manifestation of the human tale

Prophetic vision of Abraham is difficult to emulate
Surreptitiously temptation distracts, with images along the trail

System of keeping bonage is a basis of human strife
Those unjust had better beware, nature is strict to flait

Reality of all material, physical or etheral, is exactly same
Prodigious energy of sun to claim, if atom is split in detail

Firmness of faith, persistent effort, pervasive sense of love
These are some of the qualities which labours of love entail

* * *

O O O

ghulāmī meṃ na kāma ātī śamaśīreṃ na tadabīreṃ
jo ho zauqa-e-yaqīṃ paidā to kaṭa jātī haiṃ zañjīreṃ

koī aṃdāzā kara sakatā hai usa ke zore bāzu kā
nigāha marda-e-momina se badala jātī haiṃ taqadīreṃ

vilāyata pādaśāhī, ilma, aśyā kī jahāṅgīrī
yaha saba kyā haiṃ faqata ika nuqtā-e-imāṃ kī tafsīreṃ

barāhīmī nazara paidā magara muśkila se hotī hai
havasa chupa-chupa ke sīnoṃ meṃ banā letī haiṃ tasvīreṃ

tamīza banda-o-āqā, fasāda ādamīyata hai
hazara ai cīrā-e-dastāṃ sakhta haiṃ fitrata kī tāzīreṃ

haqīqata eka hai hara śai kī khākī ho ke nūrī ho
lahū khurśīda kā ṭapake, agara zarre kā dila cīreṃ

yaqīṃ muhkama, amala paihama, mauhabbata fātahe ālama
jihāda-e-zindagānī meṃ haiṃ yaha mardoṃ kī śamaśīreṃ

* * *

○ ○ ○

गुलामी में न काम आती शमशीरें[१] न तदबीरें
जो हो ज़ौक़-ए-यक़ीं पैदा तो कट जाती हैं ज़ंजीरें

कोई अंदाज़ा कर सकता है उस के ज़ोरै बाजु का
निगाह मर्द-ए-मोमिन से बदल जाती है तक़दीरें

विलायत पादशाही, इल्म, अश्या की जहांगीरी
यह सब क्या हैं फ़क़त इक नुक़्ता-ए-इमां की तफ़्सीरें[२]

बराहीमी नज़र पैदा मगर मुश्किल से होती है
हवस छुप-छुप के सीनों में बना लेती हैं तस्वीरें

तमीज़ बन्द-ओ-आक़ा, फ़साद आदमीयत है
हज़र[३] ऐ चीरा-ए-दस्तां सख़्त हैं फ़ित्रत की ताज़ीरें

हक़ीक़त एक है हर शै की ख़ाकी हो के नूरी हो
लहु ख़ुर्शीद का टपके, अगर ज़र्रे का दिल चीरें

यक़ीं मुह्कम[४], अमल पैहम, मोहब्बत फ़ातहे आलम
जिहाद-ए-ज़िन्दगानी में हैं यह मर्दों की शमशीरें

* * *

---

१. तलवारें २. टीकाएं ३. बचाव ४. दृढ़

○ ○ ○

خرد مندوں سے کیا پوچھوں کہ میری ابتدا کیا ہے
کہ میں اس فکر میں رہتا ہوں، میری انتہا کیا ہے

خودی کو کر بلند اتنا کہ ہر تقدیر سے پہلے
خدا بندے سے خود پوچھے بتا تیری رضا کیا ہے

مقام گفتگو کیا ہے اگر میں کیمیا گر ہوں
یہی سوزِ نفس ہے اور میری کیمیا کیا ہے

نظر آئیں مجھے تقدیر کی گہرائیاں اس میں
نہ پوچھ اے ہمنشیں مجھ سے وہ چشم سرمہ سا کیا ہے

اگر ہوتا وہ مجذوب فرنگی اس زمانے میں
تو اقبال اس کو سمجھاتا مقام کبریا کیا ہے

نوائے صبحگائی نے جگر خوں کر دیا میرا
خدایا جس خطا کی یہ سزا ہے وہ خطا کیا ہے

* * *

○ ○ ○

As how the world began as how to ask the sages
As I am worried all the time what it all presages

Your self respect you elevate, that for every act of fate
God himself to interrogate what man envisages

What dialogue I engage in, if I am an alchemist
My soul is simply singing, else what my alchemy engages

Don't ask me, friend, what seeing eye can penetrate
I see that it envisions the fate, fathoms deep it gauges

If that introspective thinker were living in this age
Iqbal would have explained to him quintessence of spiritual stages

For what fault, O God, am I fated for this chastisement
My soul is consumed by morning muse and fire inside rages

✹ ✹ ✹

<u>kh</u>irada mandoṃ se kyā pūchūṃ ke merī ibtidā kyā hai
ke maiṃ isa fikra meṃ rahatā hūṃ, merī intehā kyā hai

<u>kh</u>udī ko kara bulanda itanā ke hara taqadīra se pahale
<u>kh</u>udā bande se <u>kh</u>uda puche batā terī razā kyā hai

maqāma-e-guftagu kyā hai agara maiṃ kīmiyāgara hūṃ
yahī soza-e-nafasa hai aura merī kīmiyā kyā hai

nazara āyeṃ mujhe taqadīra kī gaharāīyāṃ isa meṃ
nā pūcha ai-hamanaśīṃ mujha se vo caśma-e-surmā sā kyā hai

agara hotā vo majazūba firaṅgī isa zamāne meṃ
to iqabāla usa ko samajhātā maqāma-e-kibariyā kyā hai

navāye subahagāī ne jigara <u>kh</u>ūṃ kara diyā merā
<u>kh</u>udāyā jisa <u>kh</u>atā kī yaha sazā hai vo <u>kh</u>atā kyā hai

* * *

ООО

ख़िरद मंदों[1] से क्या पूछूं के मेरी इब्तिदा क्या है
के मैं इस फ़िक्र में रहता हूं, मेरी इन्तेहा क्या है

खुदी को कर बुलन्द इतना के हर तक़दीर से पहले
खुदा बन्दे से खुद पुछे बता तेरी रज़ा क्या है

मक़ाम-ए-गुफ़्तगु क्या है अगर मैं कीमियागर हूं
यही सोज़-ए-नफ़स है और मेरी कीमिया क्या है

नज़र आयें मुझे तक़दीर की गहराईयां इस में
ना पूछ ऐ-हमनशीं मुझ से वो चश्म-ए-सुर्मा सा क्या है

अगर होता वो मजज़ूब फ़िरंगी इस ज़माने में
तो "इक़बाल" उस को समझाता मक़ाम-ए-किबरिया क्या है

नवाये सुबहगाई ने जिगर-ख़ूं कर दिया मेरा
खुदाया जिस ख़ता की यह सज़ा है वो ख़ता क्या है

* * *

---

१. बुद्धिमानों

○ ○ ○

افلاک سے آتا ہے نالوں کا جواب آخر
کرتے ہیں خطاب آخر اٹھتے ہیں حجاب آخر

احوال محبت میں کچھ فرق نہیں ایسا
سوز و تب و تاب اوّل، سوز و تب و تاب آخر

میں تجھ کو بتاتا ہوں تقدیر امم کیا ہے
شمشیر و سناں اوّل، طاؤس و رباب آخر

میخانہ یورپ کے دستور نرالے ہیں
لاتے ہیں سرور اوّل، دیتے ہیں شراب آخر

کیا دبدبہ نادر، کیا شوکت تیموری
ہو جاتے ہیں سب دفتر غرق مئے ناب آخر

تھا ضبط بہت مشکل اس سیل معانی کا
کہہ ڈالے قلندر نے اسرار کتاب آخر

* * *

○ ○ ○

From heaven on high, our prayers are met at last
We get addressed at last, the curtain is let at last

In the realm of resolution, there is hardly any variance
Emotional commitment at outset, emotions beset at last

I point to fact of history, pointer to the fate of nations·
Their sweat and tears first, their toils beget at last

Strange are the ways of taverns so extant in Europe
They intoxicate you first, for wine you bet at last

All splendor of Tramerlane, all brilliance of Alexander
Are swept by torrent of time, become histroy's debt at last

It was difficult to restrain, the flood of words to contain
However, the bard explained the book's secret at last

* * *

O O O

afalāka se ātā hai nāloṃ kā javāba āk͟hira
karate haiṃ k͟hitāba āk͟hira uṭhate haiṃ hijāba āk͟hira

ahavāla-e-mohabbata meṃ kucha farqa nahīṃ aisā
soza-o-taba-o-tāba avvala, soza-o-taba-o-tāba āk͟hira

maiṃ tujha ko batātā hūṃ taqadīra-e-umama kyā hai
śamaśīra-e-sanāṃ avvala, tāusa-o-rabāba āk͟hira

maik͟hānā-e-yūropa ke dastūra nirāle haiṃ
lāte haiṃ surūra avvala, dete haiṃ śarāba āk͟hira

kyā dabadabā nādira, kyā śaukata-e-taimūrī
ho jāte haiṃ saba daftara g͟harqe maye nāba āk͟hira

thā zabta bahuta muśkila isa mīla muānī kā
kaha ḍāle qalandara ne isarāre kitāba āk͟hira

✹ ✹ ✹

○ ○ ○

अफ़लाक से आता है नालों का जवाब आख़िर
करते हैं ख़िताब आख़िर उठते हैं हिजाब आख़िर

अहवाल-ए-मोहब्बत में कुछ फ़र्क़ नहीं ऐसा
सोज़-ओ-तब-ओ-ताब अव्वल, सोज़-ओ-तब-ओ-ताब आख़िर

मैं तुझ को बंताता हूं तक़दीर-ए-उमम[1] क्या है
शमशीर-ए-सनां अव्वल, ताऊस-ओ-रबाब आख़िर

मैख़ाना-ए-यूरोप के दस्तूर निराले हैं
लाते हैं सुरूर[2] अव्वल, देते हैं शराब आख़िर

क्या दबदबा नादिर, क्या शौकत-ए-तैमूरी
हो जाते हैं सब दफ़्तर ग़र्क़े मये नाब आख़िर

था ज़ब्त बहुत मुश्किल इस मील मुआनी का
कह डाले क़लंदर ने इसरारे किताब आख़िर

✹ ✹ ✹

---

१. धर्मावसंवियों का भाग्य   २. हर्ष

○ ○ ○

پھر باد بہار آئی، اقبال غزل خواں ہو
غنچہ ہے اگر گل ہو، گل ہو تو گلستاں ہو

تُو خاک کی مٹھی ہے، اجزا کی حرارت سے
برہم ہو، پریشاں ہو، وسعتِ میں بیاباں ہو

تُو جنس محبت ہے، قیمت ہے گراں تیری
کم مایہ ہیں سوداگر، اس دیس میں ارزاں ہو

کیوں ساز کے پردے میں مستور ہو لے تیری
تُو نغمہ رنگیں ہے، ہر گوش پر عریاں ہو

اے رہرو فرزانہ، رستے میں اگر تیرے
گلشن ہے تو شبنم ہو، صحرا ہے تو طوفاں ہو

ساماں کی محبت میں مضمر ہے تن آسانی
مقصد ہے اگر منزل، غارت گر ساماں ہو

٭ ٭ ٭

O O O

Season of spring again is here, let Iqbal satiate
Bud should turn to flower, the flower to garden state

You are a pinch of dust, with the heat of your consituents
You expand to desert proportion, you blow, you agitate

You are a commodity of love, you are very precious
Bidders here are short on cash, be inexpensive bait

Why in musical strings should your tune be lying hidden
You are a pleasant melody, let ears enjoy your trait

O you ardent trekker! all along your track
If garden lies, turn to dew; if desert, inundate

In love for worldly riches lies hidden love for ease
If you are aiming for destination, let riches not pirate

* * *

phira bāda-e-bahāra āī, iqabāla g͟hazala k͟hvāṃ ho
g͟huncā hai agara gula ho, gula ho to gulistāṃ ho

tū k͟hāka kī muṭṭhī hai, ajzā kī harārata se
barhama ho, pareśāṃ ho, vusata meṃ bayābāṃ ho

tū jinsa-e-mohabbata hai, qīmata hai girāṃ terī
kama māyā haiṃ saudāgara, isa desa meṃ arzā ho

kyoṃ sāza ke parade meṃ mastūra ho lai terī
tū nag͟hamā-e-raṅgīṃ hai, hara gośa para uryāṃ ho

ai-rave farzānā, raste meṃ agara tere
gulaśana hai to śabanama ho, saharā hai to tūfāṃ ho

sāmāṃ kī mohabbata meṃ muzamira hai tana-e-āsānī
maqasada hai agara mañzila, g͟hārata gara sāmāṃ ho

○ ○ ○

फिर बाद-ए-बहार आई, इक़बाल ग़ज़ल ख़्वां हो
गुन्चा है अगर गुल हो, गुल हो तो गुलिस्तां हो

तू ख़ाक की मुट्ठी है, अज्ज़ा की हरारत से
बर्हम हो, परेशां हो, वुस्अत में बयाबां हो

तू जिन्स-ए-मोहब्बत है, क़ीमत है गिरां तेरी
कम माया हैं सौदागर, इस देस में अर्ज़ां[१] हो

क्यों साज़ के परदे में मस्तूर[२] हो लै तेरी
तू नग़मा-ए-रंगीं है, हर गोश पर उर्यां[३] हो

ऐ-रहरवे फ़र्ज़ाना[४], रस्ते में अगर तेरे
गुलशन है तो शबनम हो, सहरा है तो तूफ़ां हो

सामां की मोहब्बत में मुज़मिर[५] है तन-ए-आसानी
मक़सद है अगर मंज़िल, ग़ारत गर सामां हो

✱ ✱ ✱

---

१. सस्ता २. गुप्त ३. नग्न ४. बुद्धिमान ५. छुपा हुआ

○ ○ ○

نہ آتے ہمیں اس میں تکرار کیا تھی
مگر وعدہ کرتے ہوئے عار کیا تھی

تمہارے پیامی نے سب راز کھولا
خطا اس میں بندے کی سرکار کیا تھی

بھری بزم میں اپنے عاشق کو تاڑا
تیری آنکھ مستی میں ہشیار کیا تھی

تامل تو تھا ان کو آنے میں قاصد
مگر یہ بتا طرز انکار کیا تھی

کھنچے خود بخود جانب طُور موسیٰ
کشش تیری اے شوق دیدار کیا تھی

کہیں ذکر رہتا ہے اقبال تیرا
فسوں تھا کوئی تیری گفتار کیا تھی

* * *

○ ○ ○

No ill feeling on our part if you hardly came
No problem on your part, if you promise all the same

Your messenger it was who divulged the whole secret
For no fault whatever can you hold me to blame

In enclave full of people you spotted your beloved
Despite intoxication how discerning your eye became

Beloved, though admittedly, was inclined to decline
Confide to me, messenger, the excuse however lame

Moses was drawn to Tur as inevitable attraction
Volition for seeking vision was intense to inflame

Over there you are remembered feelingly, Iqbal
Your talk was sheer magic, smooth enough to tame

✸ ✸ ✸

○ ○ ○

nā āte hameṃ isa meṃ takarāra kyā thī
magara vādā karate huye āra kyā thī

tumhāre payāmī ne saba rāza kholā
k̲h̲atā usa meṃ bande kī sarakāra kyā thī

bharī bazma meṃ apane āśiqa ko tāḍā
terī āṃkha mastī meṃ huśyāra kyā thī

tāmmula to thā una ko āne meṃ qāsida
magara yaha batā tarza-e-inkāra kyā thī

khiñce k̲h̲uda-ba-k̲h̲uda jāniba-e-tūra mūsā
kaśiśa terī ai śauqa-e-dīdāra kyā thī

kahīṃ zikra rahatā hai 'iqabāla' terā
fusūṃ thā koī terī guftāra kyā thī

✵ ✵ ✵

○ ○ ○

ना आते हमें इस में तकरार क्या थी
मगर वादा करते हुये आर[1] क्या थी

तुम्हारे पयामी ने सब राज़ खोला
ख़ता उस में बंदे की सरकार क्या थी

भरी बज़्म में अपने आशिक़ को ताड़ा
तेरी आंख मस्ती में हुश्यार क्या थी

ताम्मुल तो था उन को आने में क़ासिद
मगर यह बता तर्ज़-ए-इन्कार क्या थी

खिंचे ख़ुद-ब-ख़ुद जानिब-ए-तूर मूसा
कशिश तेरी ऐ शौक़-ए-दीदार क्या थी

कहीं ज़िक्र रहता है "इक़बाल" तेरा
फुसूं[2] था कोई तेरी गुफ़्तार क्या थी

* * *

---

१. लज्जा २. जादू

○ ○ ○

کبھی اے حقیقتِ منتظر نظر آ لباسِ مجاز میں
کہ ہزاروں سجدے تڑپ رہے ہیں مری جبینِ نیاز میں

طرب آشنائے خروش ہو، تو نوا ہے محرمِ گوش ہو
وہ سرود کیا کہ چھپا ہوا ہو سکوتِ پردۂ ساز میں

تُو بچا بچا کے نہ رکھ اسے، ترا آئنہ ہے وہ آئنہ
کہ شکستہ ہو تو عزیز تر ہے نگاہِ آئنہ ساز میں

دمِ طوف کرمکِ شمع نے یہ کہا کہ وہ اثرِ کہن
نہ تری حکایتِ سوز میں، نہ مری حدیثِ گداز میں

نہ کہیں جہاں میں اماں ملی، جو اماں ملی تو کہاں ملی
مرے جرمِ خانہ خراب کو ترے عفوِ بندہ نواز میں

نہ وہ عشق میں رہیں گرمیاں، نہ وہ حسن میں رہیں شوخیاں
نہ وہ غزنوی میں تڑپ رہی نہ وہ خم ہے زلفِ ایاز میں

جو میں سربسجدہ ہوا کبھی تو زمیں سے آنے لگی صدا
ترا دل تو ہے صنم آشنا، تجھے کیا ملے گا نماز میں

❁ ❁ ❁

○ ○ ○

Come, O ephemeral images,! sometime in temporal attire
As thousand homages in my heart are seething to admire

Strike a pleasant note, for rapport to denote
Melody to break its silence with musical strings to conspire

Hold it not from view, your mirror is one that mirrors
Creator's wish to hold it dear, for a fault however dire

While circumambulating lamp, the moth said nostalgically
No warmth is in my passion, no heat is in your fire

I didn't find refuge in world, and if at all I did
I found it in your mercy, to forgive my sins entire

Love has lost its nerve, beauty has lost its verve
Beloved has given up embellishment, lover has lost desire

As I bowed to pray, I heard a voice to say
Your mind is not in prayer, concentration is what you require

✸ ✸ ✸

○ ○ ○

kabhī ai-haqīqata muntazira nazara ā libāsa-e-majāza meṃ
ke hazāroṃ sijade taḋapa rahe merī jabīṃ niyāza meṃ

taraba āśnā-e-kharośa ho to navā hai maharama-e-gośa ho
vo surūda kyā ke chupā huā ho pardā-e-sāza meṃ

tū bacā-bacā ke na rakha use, terā āīnā hai vo āīnā
ke śikastā ho to azīza tara hai nigāha āīnā sāza meṃ

dama taufa kirmaka śamā ne yaha kahā ke vo asara kuhana
na terī hikāyata-e-soza meṃ, na merī hadīsa-e-gudāza meṃ

na kahīṃ jahāṃ meṃ amāṃ milī, jo amāṃ milī to kahāṃ milī
mere jurma-e-khānā kharāba ko tere afava-o-bandā navāza meṃ

na vo husna meṃ rahīṃ garmiyāṃ, na vo husna meṃ rahīṃ śaukhiyāṃ
na vo ghazanavī meṃ taḋapa rahī na vo khama hai zulfa-e-ayāza meṃ

jo maiṃ sara ba-sijadā huā kabhī to zamīṃ se āne lagī sadā
terā dila to hai sanama āśnā, tujhe kyā milegā namāza meṃ

* * *

○ ○ ○

कभी ऐ-हक़ीक़त-मुन्तज़िर नज़र आ लिबास-ए-मजाज़ में
के हज़ारों सिजदे तड़प रहे मेरी जबीं नियाज़ में

तरब[1] आश्नाय-ए-ख़रोश हो तो नवा है महरम-ए-गोश हो
वो सरोद क्या के छुपा हुआ हो सुकूत परदा-ए-साज़ में

तू बचा-बचा के न रख उसे, तेरा आईना है वो आईना
के शिकस्ता हो तो अज़ीज़ तर है निगाह आईना साज़ में

दम तौफ़ किर्मक[2] शमा ने यह कहा के वो असर कुहन है
न तेरी हिकायत-ए-सोज़ में, न मेरी हदीस-ए-गुदाज़ में

न कहीं जहां में अमां मिली, जो अमां मिली तो कहां मिली
मेरे जुर्म-ए-ख़ाना ख़राब को तेरे अफ़व-ओ-बन्दा नवाज़ में

न वो हुस्न में रहीं गर्मियां, न वो हुस्न में रहीं शोख़ियां
न वो ग़ज़नवी में तड़प रही न वो ख़म है जुल्फ़-ए-अयाज़ में

जो मैं सर ब-सिजदा हुआ कभी तो ज़मीं से आने लगी सदा
तेरा दिल तो है सनम आश्ना, तुझे क्या मिलेगा नमाज़ में

* * *

---

१. आनन्द २. छोटा कीड़ा

○ ○ ○

زمانہ دیکھے گا جب مرے دل سے محشر اٹھے گا گفتگو کا
مری خموشی نہیں ہے، گویا مزار ہے حرف آرزو کا

جو موج دریا لگی یہ کہنے سفر سے قائم ہے شان میری
گہر یہ بولا صدف نشینی ہے مجھ کو سامان آبرو کا

کوئی دل ایسا نظر نہ آیا، نہ جس میں خوابیدہ ہو تمنا
الٰہی تیرا جہان کیا ہے، نگار خانہ ہے آرزو کا

اگر کوئی شے نہیں ہے پنہاں تو کیوں سراپا تلاش ہوں میں
نگہ کو نظارے کی ہے تمنا، دل کو سودا ہے جستجو کا

ریاض ہستی کے ذرے ذرے سے ہے محبت کا جلوہ پیدا
حقیقت گل کو تو جو سمجھے، تو یہ بھی پیماں ہے رنگ و بو کا

O O O

The world will be astounded by my heart's volubility
My silence is nothing but mark of my hidden pliability

When sea wave confided that rolling gives it distinction
The pearl replied that protective shell gives it respectability

No heart there is we know, but harbours dormant desire
What in name of God this world, but all insatiability

If nothing is hidden from scrutiny, why then all this curiosity
Eye is yearning for catching sight, heart for plausibility

Every particle of life's garden is proclaiming message of love
If you comprehend efflorescence, it is pledge of compatibility

○ ○ ○

zamānā dekhegā jaba mere dila se mahaśara uṭhegā guftagu kā
merī khāmośī nahīṃ hai, goyā mazāra hai harfe ārazū kā

jo mauja-e-dariyā lagī yaha kahane safara se qāyama hai śāna merī
gauhara yaha bolā sadafa naśīnī hai mujha ko sāmāna ābarū kā

koī dila aisā nazara na āyā, na jisa meṃ khvābīdā ho tamannā
īlāhī terā jahāna kyā hai, nigāra khānā hai ārazū kā

agara koī śai nahīṃ hai panhāṃ to kyā sarāpā talāśa hūṃ maiṃ
nigaha ko nazāre kī hai tamannā, dila ko saudā hai justajū kā

riyāza-e-hastī ke zarre-zarre se hai mohabbata kā jalavā paidā
haqīqata gula ko tū jo samajhe, to yaha bhī paimāṃ hai raṅga-o-bū kā

○ ○ ○

ज़माना देखेगा जब मेरे दिल से महशर उठेगा गुफ़्तगु का
मेरी ख़ामोशी नहीं है, गोया मज़ार है हर्फ़े आरज़ू का

जो मौज-ए-दरिया लगी यह कहने सफ़र से क़ायम है शान मेरी
गौहर यह बोला सदफ़ नशीनी है मुझ को सामान आबरू का

कोई दिल ऐसा नज़र न आया, न जिस में ख़्वाबीदा हो तमन्ना
ईलाही तेरा जहान क्या है, निगार ख़ाना है आरज़ू का

अगर कोई शै नहीं है पन्हां तो क्या सरापा तलाश हूं मैं
निगह को नज़ारे की है तमन्ना, दिल को सौदा है जुस्तजू का

रियाज़-ए-हस्ती के ज़र्रे-ज़र्रे से है मोहब्बत का जलवा पैदा
हक़ीक़त गुल को तू जो समझे, तो यह भी पैमां है रंग-ओ-बू का

تمام مضموں مرے پرانے، کلام میرا خطا سراپا
ہنر کوئی دیکھتا ہے مجھ میں تو عیب ہے میرے عیب جو کا

سپاس شرط ادب ہے ورنہ کرم ترا ہے ستم سے بڑھ کر
ذرا سا اک دل دیا ہے وہ بھی فریب خوردہ ہے آرزو کا

کمال وحدت عیاں ہے ایسا کہ نوک نشتر سے تو جو چھیڑے
یقیں ہے مجھ کو رگ عمل سے قطرہ انسان کے لہو کا

❋ ❋ ❋

All my subjects are out of date, my verses full of fault
In them if critic discerns merit, it is his gullibility

In love one must be circumspect, but euphemism galore!
They granted a tiny heart, but subject to susceptibility

So obvious is miracle of unity that if you touch with lancet
Human blood from flower will drip in all probability

* * *

tamāma mazamūna mere purāne, kalāma merā k͟hatā sarāpā
hunara koī dekhatā hai mujha meṃ to aiba hai mere aiba-e-jū kā

sapāsa śarte adaba hai varnā karama terā hai sitama se baḓhakara
zarā sā dila diyā hai vo bhī fareba k͟hurdā hai ārazū kā

kamāla vahadata ayāṃ hai aisā ke noka-e-naśtūra se jo cheḓe
yaqīṃ hai mujhako raga-e-amala se qatarā insāṃ ke lahū kā

* * *

तमाम मज़मून मेरे पुराने, कलाम मेरा ख़ता सरापा
हुनर कोई देखता है मुझ में तो ऐब है मेरे ऐब-ए-जू का

सपास शर्तें अदब है वर्ना करम तेरा है सितम से बढ़कर
ज़रा सा दिल दिया है वो भी फ़रेब खुर्दा है आरज़ू का

कमाल वहदत अयां है ऐसा के नोक-ए-नश्तर से तू जो छेड़े
यक़ीं है मुझको रग-ए-अमल से क़तरा इन्सां के लहू का

✹ ✹ ✹

○ ○ ○

جنہیں میں ڈھونڈتا تھا آسمانوں میں زمینوں میں
وہ نکلے میرے ظلمت خانہ دل کے مکینوں میں

حقیقت اپنی آنکھوں پر نمایاں جب ہوئی اپنی
مکاں نکلا ہمارے خانہ دل کے مکینوں میں

کبھی اپنے بھی نظارہ کیا ہے تُو نے اے مجنوں
کہ لیلیٰ کی طرح تُو خود بھی ہے محمل نشینوں میں

مجھے روکے گا تُو اے ناخدا کیا غرق ہونے سے
کہ جن کو ڈوبنا ہو، ڈوب جاتے ہیں سفینوں میں

مہینے وصل کے گھڑیوں کی صورت اڑتے جاتے ہیں
مگر گھڑیاں جدائی کی گذرتی ہیں مہینوں میں

خموش اے دل! بھری محفل میں چلاّنا نہیں اچھا
ادب پہلا قرینہ ہے محبت کے قرینوں میں

برا سمجھوں انہیں؟ مجھ سے تو ایسا ہو نہیں سکتا
کہ میں خود بھی تو ہوں اقبال اپنے خوشہ چینوں میں

* * *

O O O

Those I was seeking in sky and on eathe
I found them in the labyrinths of my heart, to unearth

When our eyes appreciated our own tenous existence
We found our niche with residents of our heart's hearth

O you Qais! have you ever viewed yourself indeed
That like beloved Laila, you are exalted in your worth

How at all, O boatswain, you keep me from drowning
That those destined to drown, do in boat's girth

Months spent in union fly, as if just in hours
But hours spent in separation are months without mirth

Quiet, O heart! no lamentation in crowded enclave
Etiquette is uppermost in beloved's domain and firth

Far it is for me, Iqbal, to view them as unfriendly
I am among my own detractors of whom there is no dearth

* * *

O O O

jinheṃ maiṃ ḍhūṇḍhatā thā āsamānoṃ meṃ zamīnoṃ meṃ
vo nikale mere zulmata k͟hānā-e-dila ke makīnoṃ meṃ

haqīqata apanī ākhoṃ para numāyāṃ jaba huī apanī
makāṃ nikalā hamāre k͟hānā-e-dila ke makīnoṃ meṃ

kabhī apanā bhī nazārā kiyā hai tūne ai-majanūṃ
ke lailā kī taraha tū k͟huda bhī hai mahamila naśīnoṃ meṃ

mujhe rokegā tū ai-nāk͟hudā kyā g͟harqa hone se
ke jinako ḍūbanā ho ḍūba jāte haiṃ safīnoṃ meṃ

mahīne vasla ke ghaḍiyoṃ kī sūrata uḍate jāte haiṃ
magara ghaḍiyāṃ judāī kī guzaratī haiṃ mahīnoṃ meṃ

k͟hamośa ai dila! bharī mahafila meṃ cillānā nahīṃ acchā
adaba pahalā qarīnā hai mohabbata ke qarīnoṃ meṃ

burā samajhūṃ unheṃ, mujha se to aisā ho nahīṃ sakatā
ke maiṃ k͟huda bhī to hūṃ "iqabāla" apane k͟hośācīnoṃ meṃ

✹ ✹ ✹

O O O

जिन्हें मैं ढूंढता था आसमानों में ज़मीनों में
वो निकले मेरे ज़ुल्मत ख़ाना-ए-दिल के मकीनों में

हक़ीक़त अपनी आंखों पर नुमायां जब हुई अपनी
मकां निकला हमारे ख़ान-ए-दिल के मकीनों में

कभी अपना भी नज़ारा किया है तूने ऐ-मजनूं
के लैला की तरह तू ख़ुद भी है महमिल नशीनों में

मुझे रोकेगा तू ऐ-नाख़ुदा क्या ग़र्क़ होने से
के जिनको डूबना हो डूब जाते हैं सफ़ीनों में

महीने वस्ल के घड़ियों की सूरत उड़ते जाते हैं
मगर घड़ियां जुदाई की गुज़रती हैं महीनों में

ख़मोश ऐ दिल! भरी महफ़िल में चिल्लाना नहीं अच्छा
अदब पहला क़रीना है मोहब्बत के क़रीनों में

बुरा समझूं उन्हें, मुझ से तो ऐसा हो नहीं सकता
के मैं ख़ुद भी तो हूं "इक़बाल" अपने ख़ोशाचीनों में

* * *

○ ○ ○

تری دعا سے قضا تو بدل نہیں سکتی
مگر ہے اس سے یہ ممکن کہ تُو بدل جائے

تری خودی میں اگر انقلاب ہو پیدا
عجب نہیں کہ یہ چار سو بدل جائے

وہی شراب وہی ہائے و ہو رہے باقی
طریق ساقی و رسم کدو بدل جائے

تری دعا ہے کہ ہو تیری آرزو پوری
مری دعا ہے تیری آرزو بدل جائے

٭ ٭ ٭

○ ○ ○

With prayer you may not change your fate
However, perhaps, you may reincarnate

With metamorphosis in your self assertion
No wonder this habitat may perambulate

Wine and boisterous ways persist
Saqi and customs of cup innovate

Your prayer your wish is all fullfilled
My prayer you wish you help abate

✹ ✹ ✹

○ ○ ○

terī duā se qazā to badala nahīṃ sakatī
magara hai isa se yaha mumakina ke tū badala jāye

terī k͟hudī meṃ agara inqilāba ho paidā
ajaba nahīṃ ke yaha cāra sū badala jāye

vahī śa̧rāba, vahī hāya va ho rahe bāqī
tarīqe sāqī-o-rasme kadū badala jāye

terī duā hai ke ho terī ārazū pūrī
merī duā hai terī ārazū badala jāye

✹ ✹ ✹

तेरी दुआ से क़ज़ा तो बदल नहीं सकती
मगर है इस से यह मुमकिन के तू बदल जाये

तेरी ख़ुदी में अगर इन्क़िलाब हो पैदा
अजब नहीं के यह चार सू बदल जाये

वही शराब, वही हाय व हो रहे बाक़ी
तरीक़े साक़ी-ओ-रस्मे कदू बदल जाये

तेरी दुआ है के हो तेरी आरज़ू पूरी
मेरी दुआ है तेरी आरज़ू बदल जाये

* * *

○ ○ ○

تُو ابھی رہگذر میں ہے قید مقام سے گذر
مصر و حجاز سے گذر، پارس و شام سے گذر

جس کا عمل ہے بے غرض اس کی جزا کچھ اور ہے
حور و خیام سے گذر، بادہ و جام سے گذر

گرچہ ہے دلکشا بہت حسن فرنگ کی بہار
طائرک بلند بال، دانہ و دام سے گذر

کوہ شگاف تیری ضرب، تجھ سے کشاد شرق و غرب
تیغ ہلال کی طرح عیش نیام سے گذر

تیرا امام بے حضور! تیری نماز بے سرور
ایسی نماز سے گذر، ایسے امام سے گذر

* * *

○ ○ ○

You are progressing in your journey, no resting short of destination
Go past Egyption, Syrian deserts, no regional consideration

Whose deeds are based on selflessness deserve a high reward
You are thinking not of houries, nor wine's motivation

Admitted, scene in the West in one of beauty and wealth
You are falcon flying high, no truck with earthly temptation

Your blow is mountain shattering, your vision vast and scattering
Your crescent sword is out of sheath, no pause for salutation

Your prayer leader is not inspiring, your prayer lacks desiring
No use for such prostration, no muse for such oration

* * *

tū abhī rahaguzara mem hai qaida maqāma se guzara
misra-o-hijāza se guzara, pārasa-o-śāma se guzara

jisa kā amala hai be-g̲h̲araza usa kī jazā kucha aura hai
hūra-o-k̲h̲ayāma se guzara, bādā-o-jāma se guzara

garace hai dilakuśā bahuta husna-e-firaṅga kī bahāra
tāyaraka bulanda bāla, dānā-o-dāma se guzara

koha-e-śagāfa terī zarba, tujha se kuśāda śirka-o-g̲h̲arba
teg̲h̲a-e-halāla kī taraha aiśa-e-nayāma se guzara

terā imāma be-huzūra! terī namāza be-surūra
aisī namāza se guzara aise imāma se guzara

✸ ✸ ✸

तू अभी रहगुज़र में है क़ैद मक़ाम से गुज़र
मिस्र-ओ-हिजाज़ से गुज़र, पारस-ओ-शाम से गुज़र

जिस का अमल है बे-ग़रज़ उस की जज़ा कुछ और है
हूर-ओ-ख़याम से गुज़र, बादा-ओ-जाम से गुज़र

गरचे है दिलकुशा बहुत हुस्न-ए-फ़िरंग की बहार
तायरक बुलन्द बाल, दाना-ओ-दाम से गुज़र

कोह-ए-शगाफ़ तेरी ज़र्ब, तुझ से कुशाद शिर्क़-ओ-ग़र्ब
तेग़-ए-हलाल की तरह ऐश-ए-नयाम से गुज़र

तेरा इमाम बे-हुज़ूर! तेरी नमाज़ बे-सुरूर
ऐसी नमाज़ से गुज़र ऐसे इमाम से गुज़र

* * *

جذب دروں

یہ کائنات چھپاتی نہیں ضمیر اپنا
کہ ذرہ ذرہ میں ہے ذوق آشکارائی

کچھ اور ہی نظر آتا ہے کاروبار جہاں
نگاہ شوق ہو اگر شریک بینائی

اسی نگاہ سے محکوم قوم کے فرزند
ہوئے جہاں میں سزاوار کارفرمائی

اسی نگاہ میں ہے قاہری و جباری
اسی نگاہ میں ہے دلبری و رعنائی

اسی نگاہ سے ہر ذرہ کو جنوں میرا
سکھا رہا ہے رہ و رسم دشت پیمائی

نگاہ شوق میسر اگر نہیں تجھ کو
ترا وجود ہے قلب و نظر کی رسوائی

* * *

INNER VISION

Its self expression the universe doesn't suppress
So that every particle is zestful to impress

You see the world in a different light
An inner vision if your eyes possess

With this very vision have bonded people
Achieved in the world a measure of succes

The same vision has a measure of duress
The same vision has a measure of caress

With this very vision my zestulness imbibes
For very particle ranging, and roving process

But if you are bereft fo inner vision
For head and heart your spirit will be less

* * *

Jazbe Darūṃ

yaha kāināta chupātī nahīṃ zamīra apanā
ke zarre-jarre meṃ hai zauqa āśkārāī

kucha aura hī nazara ātā hai kārobāra jahāṃ
nigāha-e-śauqa ho agara śarīke bīnāī

isī nigāha se mahakūma qauma ke farazanda
huye jahāṃ meṃ sazāvāra kāra-e-faramāī

isī nigāha meṃ hai qāharī va jabbārī
isī nigāha meṃ hai dilabarī va rānāī

isī nigāha se hara zarre ko junūṃ merā
sikhā rahā hai raha-o-rasma daśta-e-paimāī

nigāha-e-śauqa mayassara agara nahīṃ tujha ko
terā vajūda hai qalba-o-nazara kī rūsavāī

* * *

जज़्बे दरूं[1]

यह काइनात छुपाती नहीं ज़मीर अपना
के ज़र्रे-ज़र्रे में है ज़ौक़ आश्काराई

कुछ और ही नज़र आता है कारोबार जहां
निगाह-ए-शौक़ हो अगर शरीके बीनाई

इसी निगाह से महकूम क़ौम के फ़रज़न्द
हुये जहां में सज़ावार कार-ए-फ़रमाई

इसी निगाह में है क़ाहरी[2] व जब्बारी
इसी निगाह में है दिलबरी व रानाई

इसी निगाह से हर ज़र्रे को जुनूं मेरा
सिखा रहा है रह-ओ-रस्म दश्त-ए-पैमाई

निगाह-ए-शौक़ मयस्सर अगर नहीं तुझ को
तेरा वजूद है क़ल्ब-ओ-नज़र की रूसवाई

* * *

---

१. दिल की भावना २. प्रकोप करने वाला

جاوید اقبال کے نام

دیار عشق میں اپنا مقام پیدا کر
نیا زمانہ، نئے صبح و شام پیدا کر

خدا اگر دل فطرت شناس دے تجھ کو
سکوت لالہ و گل سے کلام پیدا کر

اٹھا نہ شیشہ گران فرنگ کے احساں
سفال ہند سے مینا و جام پیدا کر

میں شاخ تاک ہوں میری غزل ہے میرا ثمر
مرے ثمر سے نئے لالہ نام پیدا کر

مرا طریق امیری نہیں فقیری ہے
خودی نہ بیچ غریبی میں نام پیدا کر

* * *

TO JAVED IQBAL

In the realm of devoted commitment, create your identity
Create a new polity, create a new civility

May you have searching soul for understanding nature
Converse with rose and hyacinth in their quiescent tranquillity

Not ever to be indebted to others' industrial source
Rely on your industrious resource, excel with creativity

I am as if a vinestalk, my verses are my stock
Allegorical meaning from my verse, derive with objectivity

My temperament is contentment, not pursuit of ornament
With your self respect intact, make your mark in adversity

* * *

Jāveka Iqbāl Ke Nām

dayāra-e-iśqa meṃ apanā maqāma paidā kara
nayā zamānā, naye subaha-o-śāma paidā kara

k̲h̲udā agara dila fitrata śanāsa de tujha ko
sukūta lāla-o-gula se kalāma paidā kara

uṭhā na śīśāgara ina faraṅga ke ehasāṃ
sifālai hinda se mīnā-o-jāma paidā kara

maiṃ śāk̲h̲e tāka hūṃ merī g̲h̲azala hai merā samara
mere samara se naye lālā fāma paidā kara

merā tarīqa amīrī nahīṃ faqīrī hai
k̲h̲udī na beca, g̲h̲arībī meṃ nāma paidā kara

* * *

जावेद इक़बाल के नाम

दयार-ए-इश्क़ में अपना मक़ाम पैदा कर
नया ज़माना, नये सुबह-ओ-शाम पैदा कर

ख़ुदा अगर दिल फ़ित्रत शनास दे तुझ को
सुकूत लाल-ओ-गुल से कलाम पैदा कर

उठा न शीशागर इन फ़रंग के एहसां
सिफ़ाले[१] हिन्द से मीना-ओ-जाम पैदा कर

मैं शाख़े ताक हूं मेरी ग़ज़ल है मेरा समर[२]
मेरे समर से नये लाला फ़ाम पैदा कर

मेरा तरीक़ अमीरी नहीं फ़क़ीरी है
ख़ुदी न बेच, ग़रीबी में नाम पैदा कर

* * *

१. मिट्टी का बर्तन   २. फल

اِنسان

قدرت کا عجیب یہ ستم ہے

اِنساں کو راز جو بنایا
راز اس کی نگاہ سے چھپایا

بیتاب ہے ذوق آگہی کا
کھلتا نہیں بھید زندگی کا

حیرت آغاز و انتہا ہے
آئینے کے گھر میں اور کیا ہے

ہے گرم خرام موج دریا
دریا بحر سوئے بحر جادہ پیما

بادلوں کو ہوا اڑا رہی ہے
شانوں پہ اٹھائے لا رہی ہے

MANKIND

for man nature has wrought such cruelty!

To unravel life's secret it gave man serendipity
However, it gave no clue to test his propensity

He is eager to perceive and to comprehend
The essence of existence, but cannot apprehend

The beginning and the end are so enigmatic
In this hall of mirrors they are problematic

The river of life flows in a state fo ferment
To merge with its ocean it is ever so fervent

Cloud on blowing wind is afloat and aloft
Propped on its shoulders like and aerial raft

Insān

Qudarat Kā Ajīb Yah Sitam Hai

insāna ko rāza jo banāyā
rāza isa kī nigāha se chupāyā

betāba hai zauqa āgahī kā
k͟hulatā nahīṃ bheda zindagī kā

hairata āg͟hāza-o-intehā hai
āīne ke ghara meṃ aura kyā hai

hai garma k͟harāma-e-mauja dariyā
dariyā bahra sū-e-bahra zādā paimā

bādala ko havā ud̂ā rahī hai
śānoṃ pe uṭhāye lā rahī hai

इन्सान

कुदरत का अजीब यह सितम है

इन्सान को राज़ जो बनाया
राज़ इस की निगाह से छुपाया

बेताब है ज़ौक़ आगही का
खुलता नहीं भेद ज़िन्दगी का

हैरत आग़ाज़-ओ-इन्तेहा है
आईने के घर में और क्या है

है गर्म ख़राम-ए-मौज दरिया
दरिया बह्र जौ-ए-बह्र ज़ादा पैमा

बादल को हवा उड़ा रही है
शानों पे उठाये ला रही है

تارے مست شراب تقدیر
زندان فلک میں پابہ زنجیر

خورشید وہ عابد سحر خیز
لائے والا پیام برخیز

مغرب کی پہاڑیوں میں چھپ کر
پیتا ہے مئے شفق کا ساغر

ذات گیر وجود ہر شے
سرمست مئے نمود ہر شے

کوئی نہیں غمگسار انساں
کیا تلخ ہے روزگار انساں

* * *

Stars are intoxicated with their fated wine
Chained as if prisoners in the heavenly design

The sun acting as morning's ascetic harbinger
Bestirs the whole world from its deep slumber

Then hidden behind the hills in the yonder West
Wine cups of twilight it gulps with such zest

Everything is wrapped up in its own entity
Everything is mixed up with its own identity

No help from surroundings to take sounding for man
What hard challenge for man, hard pounding for man

✸ ✸ ✸

tāre masta śarāba-e-taqadīra
zindāna falaka meṃ pāba-e-zañjīra

khurśīda vo ābida sahara kheza
lāne vālā payāma barakheza

maghariba kī pahāḓiyoṃ meṃ chupa kara
pītā hai maya-e-śafaqa kā sāghara

zāta gīra-e-vajūda hara śai
sare masta maya-e-numūda hara śai

koī nahīṃ ghamagusāra insāṃ
kyā talkha hai rozagāra insāṃ

* * *

तारे मस्त शराब-ए-तक़दीर
ज़िन्दान फ़लक में पाब-ए-ज़ंजीर

ख़ुर्शीद वो आबिद सहर ख़ेज़
लाने वाला पयाम बरख़ेज़

मग़रिब की पहाड़ियों में छुप कर
पीता है मय-ए-शफ़क़ का साग़र

ज़ात गीर-ए-वजूद हर शै
सरे मस्त मय-ए-नुमूद हर शै

कोई नहीं ग़मगुसार इन्सां
क्या तल्ख़ है रोज़गार इन्सां

* * *

ایک پرندہ اور جگنو

سرِ شام اک مرغ نغمہ پیرا
کسی ٹہنی پہ بیٹھا گا رہا تھا

چمکتی چیز اک دیکھی زمیں پر
اڑا طائر اسے جگنو سمجھ کر

کہا جگنو نے او مرغ نوا ریز
نہ کر بیکس پہ منتقار ہوس تیز

تجھے جس نے چہک، گل کو مہک دی
اسی اللہ نے مجھ کو چمک دی

لباس نور میں مستور ہوں میں
پتنگوں کے جہاں کا طور ہوں میں

چہک تیری بہشت گوش اگر ہے
چمک میری بھی فردوس نظر ہے

BIRD AND GLOWWORM

A chirping bird in the evening twilight
Perched on a bough was singing with delight

Seeing on the ground a shining object
Taking it glow-worm, the bird flew direct

Said the glow-worm "Sharpen not your beak
O melodious bird, on a thing utterly weak

One who gave you chirp, to flowers scented cue
Same God Almighty granted me shining hue

Wrapped I am in layers of brilliant apparel
In the world of flying insects I certainly excel

If your chirping for ear is a certain pleasure
My colourfulness for eye is also a treasure

Ek Parindā Ek Juganū

sara-e-śāma eka murg̱ha nag̱hamā pairā
kisī ṭahanī pe baiṭhā gā rahā thā

camakatī cīza ika ḍekhī zamīṃ para
uḍ̂ī tāira use juganū samajha kara

kahā juganū ne o murg̱ha navā reza
na kara bekasa pe muntaqāre havasa teza

tujhe jisa ne cahaka, gula ko mahaka dī
usī allāha ne mujha ko camaka dī

libāsa-e-nūra meṃ mastūra hūṃ maiṃ
pataṅgoṃ ke jahāṃ meṃ tūra hūṃ maiṃ

cahaka terī bahiśte gośa agara hai
camaka merī bhī firadausa nazara hai

एक परिन्दा एक जुगनू

सर-ए-शाम एक मुर्ग़ नग़मा पैरा
किसी टहनी पे बैठा गा रहा था

चमकती चीज़ इक देखी ज़मीं पर
उड़ा ताइर[1] उसे जुगनू समझ कर

कहा जुगनू ने ओ मुर्ग़ नवा रेज़
न कर बेकस पे मुन्तक़ारे हवस तेज़

तुझे जिस ने चहक, गुल को महक दी
उसी अल्लाह ने मुझ को चमक दी

लिबास-ए-नूर में मस्तूर हूं मैं
पतंगों के जहां में तूर हूं मैं

चहक तेरी बहिश्ते गोश अगर है
चमक मेरी भी फ़िरदौसे नज़र है

१. पक्षी

پروں کو میری قدرت نے ضیا دی
تجھے اس نے صدائے دلربا دی

تری منقار کو گانا سکھایا
مجھے گلزار کی مشعل بنایا

چمک بخشی مجھے، آواز تجھ کو
دیا ہے سوز مجھ کو، ساز تجھ کو

مخالف ساز کا ہوتا نہیں سوز
جہاں میں ساز کا ہے ہمنشیں سوز

قیام بزم ہستی ہے انہیں سے
ظہور اوج و پستی ہے انہیں سے

ہم آہنگی سے ہے محفل جہاں کی
اسی سے ہے بہار اس بوستاں کی

* * *

Nature has tinted my wings with a brilliant bias
To you has been granted such captivating voice

It taught your beak to utter singing notes
It wrought me a lantern for the garden moats

Luminosity is for me, voice is for you
Singeing is for me, singing is for you

Singeing and singing are not exclusive
Singeing and singing are all inclusive

Maintenance of worldly order depends on them
Manifestation of zenith and nether depends on them

World owes its effervescence to mutual integration
Garden owes its efflorescence to desegregation"

* * *

paroṃ ko merī qudarata ne ziyā dī
tujhe usa ne sadā-e-dilarūbā dī

teri minqāra ko gānā sikhāyā
mujhe gulzāra kī maśāla banāyā

camaka ba<u>kh</u>aśī mujhe, āvāza tujha ko
diyā hai soza mujha ko, sāza tujha ko

mu<u>kh</u>ālifa sāza kā hotā nahīṃ soza
jahāṃ mem sāza kā hai hamanaśīṃ soza

qayāma bazama-e-hastī hai inhīṃ se
zahūra oja-o-pastī hai inhīṃ se

hama-āhaṅgī se hai mahafila jahāṃ kī
isī se hai bahāra isa bosatāṃ kī

✸ ✸ ✸

परों को मेरी कुदरत ने ज़िया[1] दी
तुझे उस ने. सदा-ए-दिलरूबा दी

तेरी मिन्क़ार[2] को गाना सिखाया
मुझे गुलज़ार की मशाल बनाया

चमक बख़शी मुझे, आवाज़ तुझ को
दिया है सोज़ मुझ को, साज़ तुझ को

मुख़ालिफ़ साज़ का होता नहीं सोज़
जहां में साज़ का है हमनशीं सोज़

क़याम बज़्म-ए-हस्ती है इन्हीं से
ज़हूर[3] ओज़-ओ-पस्ती[4] है इन्हीं से

हम-आहंगी से है महफ़िल जहां की
इसी से है बहार इस बोस्तां की

* * *

---

१. ज्योति २. चोंच ३. उत्पत्ति ४. शिखर व पतन

بچپن

تھے دیارِ نو زمین و آسماں میرے لئے
وسعت آغوش مادر اک جہاں میرے لئے

تھی ہر اک جنبش نشان لطف جاں میرے لئے
حرف بے مطلب تھی خود میری زباں میرے لئے

درد طفلی میں اگر کوئی رلاتا تھا مجھے
شورش زنجیر در میں لطف آتا تھا مجھے

تکتے رہنا ہائے وہ پہروں تلک سوئے قمر
وہ پھٹے بادل میں بے آواز پا اس کا سفر

پوچھنا رہ رہ کے اس کے کوہ و صحرا کی خبر
اور وہ حیرت دورغ مصلحت آمیز پر

آنکھ وقف دید تھی لب مائل گفتار تھا
دل نہ تھا میرا سراپا ذوقِ استفسار تھا

٭ ٭ ٭

CHILDHOOD

The earth and the sky were a new environment for me
Mother's lap was mother earth, world of amusement for me

Symbolic source of pleasure was every movement for me
My incomprehensible muttering was such wonderment for me

For my childish behavior if anyone caused me torment
In the rattle of door chain, I loved a music dormant

Ah! gazing at lunar object endless hours round
In the midst of broken cloud its travel without a sound

To ask about the lunar scape, its desert and its mound
And to look askance at reply, expediently unsound

Eye was given to searching, tongue to verbosity
It was my tiny heart, just full of curiosity

* * *

Bacapan

the dayāra-e-nau zamīṃ-o-āsamāṃ mere liye
vusata-ai-āgẖośa mādara ika jahāṃ mere liye

thī hara eka jumbiśa niśāna lutfa-e-jāṃ mere liye
harfa-e-bematalaba thī kẖuda merī zubāṃ mere liye

darda-e-tifalī meṃ agara koī rulātā thā mujhe
śoriśa-e-zañjīra dara meṃ lutfa ātā thā mujhe

takate rahanā hāye vo paharoṃ talaka sue qamara
vo phaṭe bādala meṃ be-āvāza pā usa kā safara

pūchanā raha-raha ke usa ke koha-o-saharā kī kẖabara
aura vo hairata doragẖa maslihata āmeza para

āṃkha vaqfe dīda thī laba māila-e-gufatāra thā
dila na thā merā sarāpā zauqe istifasāra thā

✸ ✸ ✸

बचपन

थे दयार-ए-नौ ज़मीं-ओ-आसमां मेरे लिये
वुसअत-ए-आग़ोश मादर इक जहां मेरे लिये

थी हर एक जुंबिश निशान लुत्फ़-ए-जां मेरे लिये
हर्फ़-ए-बेमतलब थी ख़ुद मेरी ज़ुबां मेरे लिये

दर्द-ए-तिफ़ली[१] में अगर कोई रुलाता था मुझे
शौरिश-ए-ज़ंजीर दर में लुत्फ़ आता था मुझे

तकते रहना हाये वो पहरों तलक सुए क़मर
वो फटे बादल में बे-आवाज़ पा उस का सफ़र

पूछना रह-रह के उस के कोह-ओ-सहरा[४] की ख़बर
और वो हैरत दोरग़ मस्लिहत आमेज़ पर

आंख वक़्फ़े दीद थी लब माइल-ए-गुफ़्तार था
दिल न था मेरा सरापा ज़ौक़े इस्तिफ़्सार[५] था

* * *

१. बचपन के दर्द २. विद्रोह ३. चांद की ओर ४. पहाड़ व रेगिस्तान ५. जिज्ञासु

ستارہ

قمر کا خوف ہے کہ ہے خطرہ سحر تجھ کو
مآل حسن کی کیا مل گئی خبر تجھ کو

متاع نور کے لٹ جانے کا ہے ڈر تجھ کو
ہے کیا ہراس فنا صورت شرر تجھ کو

زمیں سے دور دیا آسماں نے گھر تجھ کو
مثال ماہ اڑھائی قبائے زر تجھ کو

غضب ہے پھر تری ننھی سی جان ڈرتی ہے
تمام رات تری کانپتے گذرتی ہے

چمکنے والے مسافر! عجب یہ بستی ہے
جو اوج ایک کا ہے، دوسرے کی پستی ہے

STAR

Are you in fear of moon or is it morning's fear
Did you get to know that end of beauty is near

Are you under extinction threat, you flicker like a flame
Are you afraid of loss of your lustrous treasure

Far from earth, the sky has given you upper tier
Like moon's golden halo, has clothed your exterior

Utterly strange for you to be constantly in fright
Why are you in trembling mode all through the night

O you shimmering rover! strange is your land
What for, us is stratosphere is your netherland

Sitārā

qamara kā k͟haufa hai ke hai k͟hatarā sahara tujha ko
māla-e-husna kī kyā mila gayī k͟habara tujha ko

matā e nūra ke luṭa jāne kā hai ḍara tujha ko
hai kyā hirāsa fanā sūrata-e-śarara tujha ko

zamīṃ se dūra diyā āsamāṃ ne ghara tujha ko
misāla māha-e-aḍhāī qabā-e-zara tujha ko

g͟hazaba hai phira terī nanhī sī jāna ḍaratī hai
tamāma rāta terī kāmpate guzaratī hai

camakane vāle musāfira! ajaba yaha bastī hai
jo auja eka kā hai dūsare kī pastī hai

सितारा

क़मर का ख़ौफ़ है के है ख़तरा सहर तुझ को
माल-ए-हुस्न की क्या मिल गयी ख़बर तुझ को

मता ए नूर[१] के लुट जाने का है डर तुझ को
है क्या हिरास फ़ना सूरत-ए-शरर तुझ को

ज़मीं से दूर दिया आसमां ने घर तुझ को
मिसाल माह-ए-अढ़ाई क़बा-ए-ज़र तुझ को

ग़ज़ब है फिर तेरी नन्ही सी जान डरती है
तमाम रात तेरी कांपते गुज़रती है

चमकने वाले मुसाफ़िर! अजब यह बस्ती है
जो औरूज[२] एक का है दूसरे की पस्ती है

---

१. प्रकाश की पूंजी   २. ऊंचाई

اجل ہے لاکھوں ستاروں کی اک ولادت مہر
فنا کی نیند مئے زندگی کی مستی ہے

وداع غنچہ میں ہے راز آفرینش گل
عدم عدم ہے کہ آئینہ دار ہستی ہے

سکوں محال ہے قدرت کے کارخانے میں
ثبات ایک تغیر کو ہے زمانے میں

* * *

Million stars are sacrificed for birth of a sun
Life just gets invigorated by mortality's hand

In farewell of the bud is the secret of flower's birth
Is nothingness a fantasy or nature's intrusive wand

In nature's scheme of things, nothing is ever static
Change is the law of nature, persistently systematic

* * *

ajala hai lākhoṃ sitāro kī ika vilādata-e-mahra
fanā kī nīnda maya-e-zindagī kī mastī hai

vidā g̲hunce meṃ hai rāza āfrīniśe gula
adama-adama hai ke āīnā dāra hastī hai

sukūṃ muhāla hai qudarata ke kārak̲h̲āne meṃ
sabāta ,eka tag̲hayyura ko hai zamāne meṃ

✹ ✹ ✹

अजल है लाखों सितारों की इक विलादत-ए-मह
फ़ना की नींद मय-ए-ज़िन्दगी की मस्ती है

विदा गुन्चे में है राज़ आफ़्रीनशे गुल
अदम-अदम है के आईना दार हस्ती है

सुकूं मुहाल है कुदरत के कारख़ाने में
सबात एक तग़य्युर[2] को है ज़माने में

✸ ✸ ✸

ساقی نامہ

دما دم رواں ہے یم زندگی
ہر اک شے سے پیدا رم زندگی

اسی سے ہوئی ہے بدن کی نمود
کہ شعلے میں پوشیدہ ہے موج دود

گراں گرچہ ہے صحبت آب و گل
خوش آئی اسے محنت آب و گل

یہ ثابت بھی ہے اور سیار بھی
عناصر کے پھندوں سے بیزار بھی

یہ وحدت ہے کثرت میں ہر دم اسیر
مگر ہر کہیں بے چگوں، بے نظیر

یہ عالم یہ بتخانہ شش جہات
اسی نے تراشا ہے یہ سومنات

LYRIC TO LIFE

Current of life is ever flowing and is all astir
Every thing ,in life is urging all to bestir

Soul gives expression for the body to proclaim
Wave of smoke hides within the body of the flame

A combination of constituents, though, is hard to obtain
Labour of love, however, can so willingly sustain

It is seemingly standing still, as well as in motion
Constrints of natural elements it shuns with emotion

Unity, though; itself is surrounded by diversity
Uniqueness in the universe is never in adversity

This world and this universe reflecting myriad hues
God has sculpted this dome as if to bemuse

Sāqīnāmā

damā-dama ravāṃ hai yama zindagī
hara ika śai paidā dama zindagī

isī se huī hai badana kī numūda
ke śole meṃ pośīdā hai mauja-e-dūda

girāṃ garaçe hai suhbata āba-o-gila
khuśa āī use mahanata āba-o-gila

yaha sābita bhī hai aura sayyāra bhī
anāsira ke phandoṃ se bezāra bhī

yaha vahadata hai kasrata meṃ hara dama asīra
magara haiṃ kahīṃ be cagoṃ, be-nazīra

yaha ālama yaha buta-khānā śaśa jihāta
usī ne tarāśā hai yaha somanāta

साक़ीनामा

दमा-दम रवां है यम[1] ज़िन्दगी
हर इक शै पैदा दम ज़िन्दगी

इसी से हुई है बदन की नुमूद
के शोले में पोशीदा है मौज-ए-दूद[2]

गिरां गरचे है सुहबत आब-ओ-गिल
ख़ुश आई उसे महनत आब-ओ-गिल

यह साबित भी है और सय्यार[4] भी
अनासिर के फंदों से बेज़ार भी

यह वहदत है कस्रत[5] में हर दम असीर[6]
मगर हैं कहीं बे चगों, बे-नज़ीर

यह आलम यह बुत-ख़ाना शश जिहात
उसी ने तराशा है यह सोमनात

१. नदी २. मौज का कीड़ा ३. पानी-मिट्टी ४. घूमने वाला ५. अनेकता ६. कैद

پسند اس کو تکرار کی خو نہیں
کہ تو میں نہیں اور میں تو نہیں

فریب نظر ہے سکون و ثبات
تڑپتا ہے ہر ذرہ کائنات

ٹھہرتا نہیں کارواں وجود
کہ ہر لحظہ ہے تازہ شان وجود

سمجھتا ہے تو راز ہے زندگی
فقط ذوق پرواز ہے زندگی

بہت اس نے دیکھے ہیں پست و بلند
سفر اُس کو منزل سے بڑھ کر پسند

سفر زندگی کے لئے برگ و ساز
سفر ہے حقیقت، حضر ہے مجاز

سمجھتے ہیں ناداں اسے بے ثبات
ابھرتا ہے مٹ مٹ کے نقش حیات

* * *

He doesn't like the habit to indulge in repetition
So you and I are different with distinctive definition

Permanence and tranquility are deceptively fervent
Each particle of universe is vibrantly in ferment

Caravan of life itself is never standing still
Every moment a vista fresh is lying over the hill

You may regard the life to be somewhat mysterious
Life is zest for action, it is nothing less than serious

Life has many ups and downs, it sees them in the face
The journey mode is preferable to any resting place

Journey provides grist for the life's running mill
Journey is all reality, destination is frill

Life as phoenix rises from the ashes of totality
Though simpleton regard it as a simple mortality

* * *

pasanda usa ko takarāra kī k͟hū nahīṃ
ke tū maiṃ nahīṃ aura maiṃ tū nahīṃ

fareba-e-nazara hai sukūna-o-sabāta
taḋapatā hai hara zarrā-e-kāināta

ṭhaharatā 'nahīṃ kāravāṃ vujūda
ke hara lahazā hai tāzā śāne vujūda

samajhatā hai tū rāza hai zindagī
faqata zauqa paravāza hai zindagī

bahuta usa ne ḍekhe haiṃ pasta-o-balanda
safara usa ko mañzila se baḋha kara pasanda

safara zindagī ke liye barga-o-sāza
safara hai haqīqata, hazra hai majāza

samajhate haiṃ nādāṃ use be sabāta
ubharatā hai miṭa-miṭa ke naqśa-e-hayāta

* * *

पसंद उस को तकरार की ख़ू[1] नहीं
के तू मैं नहीं और मैं तू नहीं

फ़रेब-ए-नज़र है सुकून-ओ-सबात
तड़पता है हर ज़र्रा-ए-काइनात

ठहरता नहीं कारवां वुजूद
के हर लहज़ा है ताज़ा शाने वुजूद

समझता है तू राज़ है ज़िन्दगी
फ़क़त ज़ौक़ परवाज़ है ज़िन्दगी

बहुत उस ने देखे हैं पस्त-ओ-बुलन्द
सफ़र उस को मंज़िल से बढ़ कर पसंद

सफ़र ज़िन्दगी के लिये बर्ग-ओ-साज़
सफ़र है हक़ीक़त, हिज़्र है मजाज़

समझते हैं नादां उसे बे सबात
उभरता है मिट-मिट के नक़्श-ए-ह्यात

* * *

१. स्वभाव

انسان

منظر چمنستاں کے زیبا ہوں کہ نازیبا
محروم عمل نرگس، مجبور تماشا ہے

رفتار کی لذت کا احساس نہیں اس کو
فطرت ہی صنوبر کی محروم تمنا ہے

تسلیم کی خوگر ہے جو چیز ہے دنیا میں
انسان کی ہر قوت سرگرم تقاضا ہے

اس ذرہ کو رہتی ہے وسعت کی ہوس ہر دم
یہ ذرہ نہیں شاید سمٹا ہوا صحرا ہے

چاہے تو بدل ڈالے ہیئت چمنستاں کی
یہ ہستی دانا ہے، بینا ہے، توانا ہے

* * *

HUMAN BEING

View in the garden earth may be inviting or not
Narcissus' eye is obliged to gleam, though not of its volition

Oak is all deluded of what motion is all about
It is all but denuded of any zestful condition

Each thing in world is willingly subservient and amenable
Each faculty, though, of man is battling for recognition

This pinch of dust is constantly obsessed to expand
No pinch, perhaps, it's desert compressed to diminution

If he wishes so, he can change the garden earth
Man is possessed of vigour and wisdom and disposition

* * *

Insān

manzara caminsatāṃ ke zebā hoṃ ke nāzebā
maharūma-e-amala nargisa, majabūra tamāśā hai

raftāra kī lazzata kā ehasāsa nahīṃ usako
fitrata hī sanobara kī maharūma tamannā hai

taslīma kī k͟hūgara hai jo cīza hai duniyā meṃ
insāna kī hara quvvata saragarma taqāzā hai

isa zarre ko rahatī hai vusata kī havasa hara dama
yaha zarrā nahīṃ śāyada simaṭā huā saharā hai

cāhe to badala ḍāle haiata caminsatāṃ kī
yaha hastī dānā hai, bīnā hai, tavānā hai

* * *

इन्सान

मन्ज़र चमिन्सतां के ज़ेबा हों के नाज़ेबा
महरूम-ए-अमल नर्गिस, मजबूर तमाशा है

रफ़्तार की लज़्ज़त का एहसास नहीं उसको
फ़ित्रत ही सनोबर की महरूम तमन्ना है

तस्लीम की ख़ूगर है जो चीज़ है दुनिया में
इन्सान की हर कुव्वत सरगर्म तक़ाज़ा है

इस ज़र्रे को रहती है वुस्अत[२] की हवस हर दम
यह ज़र्रा नहीं शायद सिमटा हुआ सहरा है

चाहे तो बदल डाले हैअत चमिन्सतां की
यह हस्ती दाना है, बीना है, तवाना है

* * *

---

१. चीड़ का पैड़ २. विस्तार

شاعر

قوم گویا جسم ہے، افراد ہیں اعضائے قوم
منزل صنعت کے رہ پیما ہیں دست و پائے قوم

محفل نظم حکومت، چہرہ زیبائے قوم
شاعر رنگیں نوا ہے دیدہ بینائے قوم

مبتلائے درد کوئی عضو ہو، روتی ہے آنکھ
کس قدر ہمدرد سارے جسم کی ہوتی ہے آنکھ

* * *

PERCEPTIVE POET

If nation is physical person, people constitute limbs of nation
Hands and feet of people thus strive for destination

Constitution concerning polity is prudent preface of nation
A poet with perception acts as eye for the face of nation

If a limb is afflicted with pain, the eye is full of tears
How painstaking is eye for a person's ills and fears

* * *

Śāir

qauma goyā jisma hai, afarāda haiṃ azā-e-qauma
mañzila sanata ke rahe paimā haiṃ dasta-o-pā-e-qauma

mahafila nazma hukūmata, ceharā zebā-e-qaumā
śāira raṅgīṃ navā hai dīdā bīnā-e-qauma

mubtilā-e-darda koī azu ho, rotī hai āṃkha
kisa qadara hamadarda sāre jisma kī hotī hai āṃkha

* * *

शाइर

क़ौम गोया जिस्म है, अफ़राद हैं अज़ा-ए-क़ौम
मंज़िल सनअत के रहे पैमा हैं दस्त-ओ-पा-ए-क़ौम

महफ़िल नज़्म हुकूमत, चेहरा ज़ेबा-ए-क़ौम
शाइर रंगीं नवा है दीदा बीना-ए-क़ौम

मुब्तिला-ए-दर्द कोई अज़ु हो, रोती है आंख
किस क़दर हमदर्द सारे जिस्म की होती है आंख

* * *

زندگی

برتر از اندیشۂ سود و زیاں ہے زندگی
ہے کبھی جاں اور کبھی تسلیمِ جاں ہے زندگی

تو اسے پیمانۂ امروز و فردا سے نہ ناپ
جاوداں، پیہم دواں، ہر دم جواں ہے زندگی

اپنی دنیا آپ پیدا کر اگر زندوں میں ہے
سرِ آدم ہے ضمیرِ کن فکاں ہے زندگی

زندگانی کی حقیقت کوہکن کے دل سے پوچھ
جوئے شیر و تیشہ و سنگِ گراں ہے زندگی

بندگی میں گھٹ کے رہ جاتی ہے اک جوئے کم آب
اور آزادی میں بحرِ بیکراں ہے زندگی

آشکارا ہے یہ اپنی قوتِ تسخیر سے
گرچہ اک مٹی کے پیکر میں نہاں ہے زندگی

قلزمِ ہستی سے تو ابھرا ہے مانندِ حباب
اس زیاں خانے میں تیرا امتحاں ہے زندگی

* * *

LIFE

Transcendent over gain and loss is basic design of life
Soul is sign of life, its surrender also sign of life

In terms of passage of days only don't you measure life
Ever existent, ever persistent, young is peregrine of life

Create your own world if you count among the living
Adam's advent is spirit "to be," not decline of life

Discover the hidden meaning of life in Kohkan's labour
His digging of rock with axe for milk is sunshine of life

In bondage it is bounded, a stream with just a trickle
In freedom it is unbounded, an ocean with brine of life

It manifests its existence with its power to assert itself
Though hidden within an earthen frame is quarantine of life

From seabed of existence you have risen like a bubble
You must in this world of subsistence hold your line of life

* * *

Zindagī

bartara aza-aṃdeśa sūda-o-ziyāṃ hai zindagī
hai kabhī jāṃ aura kabhī taslīma-e-jāṃ hai zindagī

tū use paimāna-e-imaroza va fardā se na nāpa
jāvidāṃ, paihama davāṃ, hara dama javāṃ hai zindagī

apanī duniyā āpa paidā kara agara zindoṃ meṃ hai
sara ādama hai zamīra kuna fukāṃ hai zindagī

zindagānī kī haqīqata kohakana ke dila se pūcha
jū-e-śera va teśā va saṅga-e-girāṃ hai zindagī

bandagī meṃ ghaṭa ke raha jātī hai ika jū-e-kama āba
aura āzādī meṃ bahra-e-bekarāṃ hai zindagī

āśkārā hai yaha apanī quvvata-e-tasḵhīra se
garace ika miṭaṭī ke pekara meṃ nihāṃ hai zindagī

qulazuma-e-hastī se tū ubharā hai mānanda-e-habāba
isa ziyāṃ ḵhāne meṃ terā imtehāṃ hai zindagī

❋ ❋ ❋

ज़िन्दगी

बर्तर अज़-अंदेशा सूद-ओ-ज़ियां है ज़िन्दगी
है कभी जां और कभी तस्लीम-ए-जां है ज़िन्दगी

'तू उसे पैमान-ए-इमरोज़ व फ़र्दा से न नाप
जाविदां, पैहम दवां, हर दम जवां है ज़िन्दगी

अपनी दुनिया आप पैदा कर अगर ज़िन्दों में है
सर आदम है ज़मीर कुन फुकां है ज़िन्दगी

ज़िन्दगानी की हक़ीक़त कोहकन के दिल से पूछ
जू-ए-शेर व तेशा व संग-ए-गिरां है ज़िन्दगी

बन्दगी में घट के रह जाती है इक जू-ए-कम आब
और आज़ादी में बह्र-ए-बेकरां है ज़िन्दगी

आश्कारा है यह अपनी कुव्वत-ए-तस्ख़ीर[१] से
गरचे इक मिट्टी के पेकर में निहां है ज़िन्दगी

कुलज़ुम-ए-हस्ती[२] से तू उभरा है मानन्द-ए-हबाब[३]
इस ज़ियां ख़ाने में तेरा इम्तेहां है ज़िन्दगी

* * *

---

१. वशीभूत करने के शर्म्त २. नदी ३. बुलबुले की तरह

○○○

پردہ چہرے سے اٹھا، انجمن آرائی کر
چشم مہر و مہ و انجم کو تماشائی کر

تو جو بجلی ہے تو یہ چمک پنہاں کب تک
بے حجابانہ مرے دل سے شناسائی کر

نفس گرم کی تاثیر ہے اعجاز حیات
تیرے سینے میں اگر ہے تو مسیحائی کر

کب تلک طور پہ دریوزہ گری مثل کلیم
اپنی ہستی سے عیاں شعلہ سینائی کر

اس گلستاں میں نہیں حد سے گزرنا اچھا
ناز بھی کر تو باندازہ رعنائی کر

پہلے خوددار تو مانند سکندر ہو لے
پھر جہاں میں ہوس شوکت دارائی کر

مل ہی جائے گی کبھی منزل لیلیٰ اقبال
کوئی دن اور ابھی بادہ پیمائی کر

* * *

○ ○ ○

Life the veil from your face, and come face to face
Let the sun, moon and stars join in their gaze

If you are lightning flash, then why this hide and seek
Without ado or any fear, my heart you may trace

Warmth of heart, indeed, has miraculous effect
If you have one within your breast, I need your embrace

How long like Moses on Mount of Tur begging Divine light
By your own existence you may dazzle with your grace

In this world it is hardly wise to seek excessive prize
But even in your nonchalance, remain within your base

You must first be mindful of the ways of Alexander
Before you ever conquer the world to encompass the space

One day, Iqbal, surely you will reach your cherished goal
Awhile you range the desert, persevere in your pace

✸ ✸ ✸

○ ○ ○

pardā cehare se uṭhā, anjumana ārāī kara
caśma mehra-o-mai-o-aṃjuma ko tamāśāī kara

tū jo bijalī hai to yaha camaka panhāṃ kaba taka
be hijābā mere dila se śanāsāī kara

nafasa garma kī tāsīra hai aijāza-e-hayāta
tere sīne meṃ agara hai to masīhāī kara

kaba talaka tūra para darayūjā garī misle kalīma
apanī hastī se ayāṃ śolā e sīnāī kara

isa gulistāṃ meṃ nahīṃ hada se guzaranā acchā
nāza bhī kara to baandāze rānāī kara

pahale khuddāra to māninda sikandara hole
phira jahāṃ meṃ havasa śaukata-e-dārāī kara

mila hī jāyegī kabhī mañzila lailā iqabāla
koī dina aura abhī bādayā paimāī kara

✹ ✹ ✹

○ ○ ○

पर्दा चेहरे से उठा, अन्जुमन आराई कर
चश्म मेह्-ओ-मै-ओ-अंजुम को तमाशाई कर

तू जो बिजली है तो यह चमक पन्हां कब तक
बे हिजाबाना मेरे दिल से शनासाई कर

नफ़स गर्म की तासीर है ऐजाज़-ए-हयात
तेरे सीने में अगर है तो मसीहाई कर

कब तलक तूर पर दरयूज़ा गरी[1] मिस्ल कलीम
अपनी हस्ती से अयां शोलाए सीनाई कर

इस गुलिस्तां में नहीं हद से गुज़रना अच्छा
नाज़ भी कर तो बअनदाज़े रानाई कर

पहले ख़ुद्दार तो मानन्द सिकन्दर होले
फिर जहां में हवस शौकत-ए-दाराई कर

मिल ही जायेगी कभी मंज़िल लैला इक़बाल
कोई दिन और अभी बादया पैमाई कर

* * *

१. मिसाल

○○○

ظاہر کی آنکھ سے نہ تماشا کرے کوئی
ہو دیکھنا تو دیدہ دل وا کرے کوئی

منصور کو ہوا لب گویا پیام موت
اب کیا کسی کے عشق کا دعویٰ کرے کوئی

ہو دید کا جو شوق تو آنکھوں کو بند کر
ہے دیکھنا یہی کہ نہ دیکھا کرے کوئی

میں انتہائے عشق ہوں، تو انتہائے حسن
دیکھے مجھے کہ تجھ کو تماشا کرے کوئی

چھپتی نہیں ہے یہ نگہ شوق، اے ہم نشیں
پھر اور کس طرح انھیں دیکھا کرے کوئی

اڑ بیٹھے کیا سمجھ کے بھلا طور پر کلیم
طاقت ہو دید کی تو تقاضا کرے کوئی

نظارے کو یہ جنبش مژگاں بھی بار ہے
نرگس کی آنکھ سے تجھے دیکھا کرے کوئی

* * *

O O O

With outer eye alone let no one see the sight
For real seeing, inner eye must be used aright

Mansoor[1] had courted death by proclaiming his love
Who now can make such proclamation without due insight

If you want it disclosed, you keep your eyes closed
The real seeing is to forego any vision's delight

I am perfection of love, you are paragon of beauty
Between you and me as spectacle, difference is only slight

Impossible it is, o friend, to suppress the zest for seeing
How else to see beloved's view, well as one might

Why was Moses so insistent on Sinai's mountain
To confront Divine dazzle, so unbearable bright

Movement even of eyelash is too much for real vision
Best it is to see beloved with narcissus sight

✸ ✸ ✸

1. Mansoor was considered to be a pious Muslim who was poisoned for his nobility.

○ ○ ○

zāhira kī āṃkha se na tamāśā kare koī
ho dekhanā to dīdā-e-dila vā kare koī

mamṃsūra ko huā laba goyā payāma-e-mauta
aba kyā kisī ke iśqa kā dāvā kare koī

ho dīda kā jo śauqa to āṃkhoṃ ko banda kara
hai dekhanā yahī ke na dekhā kare koī

maiṃ intehā-e-iśqa hūṃ, tū intehā-e-husna
dekhe mujhe ke tujha ko tamāśā kare koī

chupatī nahīṃ hai yaha nigaha-e-śauqa ai-hamanaśīṃ
phira aura kisa taraha inheṃ dekhā kare koī

uḍa baiṭhe kyā samajha ke bhalā tūra para kalīma
tāqata ho dīda kī to taqāzā kare koī

nazāre ko yaha jumbiśe mizagāṃ bhī bāra hai
nargisa kī āṃkha se tujhe dekhā kare koī

✱ ✱ ✱

○○○

ज़ाहिर की आंख से न तमाशा करे कोई
हो देखना तो दीदा-ए-दिल वा करे कोई

मंसूर को हुआ लब गोया पयाम-ए-मौत
अब क्या किसी के इश्क़ का दावा करे कोई

हो दीद का जो शौक़ तो आंखों को बन्द कर
है देखना यही के न देखा करे कोई

मैं इन्तेहा-ए-इश्क़ हूं, तू इन्तेहा-ए-हुस्न
देखे मुझे के तुझ को तमाशा करे कोई

छुपती नहीं है यह निगह-ए-शौक़ ऐ-हमनशीं
फिर और किस तरह इन्हें देखा करे कोई

उड़ बैठे क्या समझ के भला तूर पर कलीम
ताक़त हो दीद की तो तक़ाज़ा करे कोई

नज़ारे को यह जुंबिशे मिज़गां भी बार है
नर्गिस की आंख से तुझे देखा करे कोई

* * *

○ ○ ○

نہ کر ذکر فراق و آشنائی
کہ اٹل زندگی ہے خود نمائی

نہ دریا کا زیاں ہے نے گہر کا
دل دریا سے گوہر کی جدائی

تمیز خار و گل سے آشکار
نسیم صبح کی روشن ضمیری

حفاظت پھول کی ممکن نہیں ہے
اگر کانٹے میں ہو خوئے حریری

* * *

○ ○ ○

Much ado about synthesis and separation
Reality of life is elf manifestation

For pearl or oceam no ruination
If from ocean is pearl in deviation

Between flower and thorn no distraction
Morning breeze shows little predilection

For thorn to imbibe gentle reaction
Will mean loss of flower's protection

* * *

○ ○ ○

na kara zikra-e-firāqa va āśnāī
ke asala zindagī hai khuda numāī

na adariyā kā ziyāṃ hai ne guhara
dila dariyā se gauhara kī judāī

tamīza khāra va gula se āśkārā
nasīma subaha kī rośana zamīrī

hifāzata phūla kī mumakina nahīṃ hai
agara kāṇṭe meṃ ho khū-e-hurerī

✹ ✹ ✹

○ ○ ○

न कर ज़िक्र-ए-फ़िराक़ व आश्नाई
के असल ज़िन्दगी है ख़ुद नुमाई

न दरिया का ज़ियां है ने गुहर का
दिल दरिया से गौहर की जुदाई

तमीज़ ख़ार व गुल से आश्कारा
नसीम सुबह की रोशन ज़मीरी

हिफ़ाज़त फूल की मुमकिन नहीं है
अगर कांटे में हो ख़ू-ए-हुरेरी

✹ ✹ ✹

والدہ مرحومہ کی یاد میں

زندگی کی آگ کی انجام خاکستر نہیں
ٹوٹنا جس کا مقدر ہو یہ وہ گوہر نہیں

زندگی محبوب ایسی دیدہ قدرت میں ہے
ذوق حفظ زندگی ہر چیز کی فطرت میں ہے

موت کے ہاتھوں سے مٹ سکتا اگر نقش حیات
عام یوں اس کو نہ کر دیتا نظام کائنات

ہے اگر ارزاں تو یہ سمجھو اجل کچھ بھی نہیں
جس طرح سونے سے جینے میں خلل کچھ بھی نہیں

آہ! غافل! موت کا راز نہاں کچھ اور ہے
نقش کی ناپائداری سے عیاں کچھ اور ہے

IN MEMORY OF MOTHER

Fire of life does not have its ending reduced to ashes
Pearl of life is indestructible, distined not for crashes

Life is regarded as very precious in the eyes of nature
So every soul is gifted with the zest to preserve its stature

If at the hands of death could a life be obliterated
Then God's scheme would stop it to be commonly perpetrated

If death is common-place then you regard it out of place
It interferes not with life as in a sleeping case

Ah! aware you are not of the secret of death
Instability of life itself is pointer to a depth

Vālidā Marhūmā Kī Yād Meṃ

zindagī kī āga kā aṃjāma k͟hākastara nahīṃ
ṭūṭanā jisa kā muqaddara ho yaha vo gauhara nahīṃ

zindagī mahabūba aisī dīda-e-qudarata meṃ hai
zauqa hifaja-e-zindagī hara cīza kī fitrata meṃ hai

mauta ke hāthoṃ se miṭa sakatā agara naqśa-e-ḥayāta
āma usa ko yūṃ na kara detā nizāma-e-kāināta

hai agara arzāṃ to samajho ajala kucha bhī nahīṃ
jisa taraha sone se jīne meṃ k͟halala kucha bhī nahīṃ

āha! g͟hāfila! mauta kā rāza nihāṃ kucha aura hai
naqśa kī nā-pāyadārī se ayāṃ kuda aura hai

वलिदा मर्हूमः की याद में

ज़िन्दगी की आग का अंजाम ख़ाकस्तर नहीं
टूटना जिस का मुक़द्दर हो यह वो गौहर नहीं

ज़िन्दगी महबूब ऐसी दीद-ए-कुदरत में है
ज़ौक़ हिफ़ज़-ए-ज़िन्दगी हर चीज़ की फ़ित्रत में है

मौत के हाथों से मिट सकता अगर नक़्श-ए-हयात
आम उस को यूं न कर देता निज़ाम-ए-काइनात

है अगर अर्ज़ां[1] तो समझो अजल[2] कुछ भी नहीं
जिस तरह सोने से जीने में ख़लल कुछ भी नहीं

आह! ग़ाफ़िल! मौत का राज़ निहां कुछ और है
नक़्श की ना-पायदारी से अयां कुछ और है

---

१. सस्ता २. मौत

جنت نظارہ ہے نقش ہوا بالائے آب
موج مضطر توڑ کر تعمیر کرتی ہے حباب

موج کے دامن میں پھر اس کو چھپا دیتی ہے یہ
کتنی بے دردی سے نقش اپنا مٹا دیتی ہے یہ

پھر نہ کر سکتی حباب اپنا اگر پیدا ہوا
توڑنے میں اس کے یوں ہوتی نہ بے پروا ہوا

اس روش کا کیا اثر ہے ہیئت تعمیر پر
یہ تو حجت ہے ہوا کی قوت تعمیر پر

فطرت ہستی شہید آرزو رہتی نہ ہو
خوب تر پیکر کی اس کو جستجو رہتی نہ ہو

٭ ٭ ٭

The answer you discover is in action of wind on water
In make and break of bubbles is a restless wave a master

The wave in its wake is hiding repeatedly from view
It swallows its own creation hardly leaving a clue

If wind and wave were not to make bubbles in succession
They wouldn't be so nonchalant in breaking their progression

How this mode of reconstruction affects their attitude
Ability of wind and wave will help explain their aptitude

Nature of life would seem to be going from zest to zest
In this pursuit of perfection it is seemingly seeking the best

* * *

jannata nazārā hai naqśa-e-havā bālā-e-āba
ṁauja muztara tauda kara tāmīra karatī hai habāba

mauja ke dāmana meṃ phira usa ko chupā detī hai yaha
kitanī bedardī se naqśa apanā miṭā detī hai yaha

phira na kara sakatī habāba apanā agara paidā havā
todane meṃ usa ke yūṃ hotī na be-parvā havā

isa raviśa kā kyā asara hai haiata tāmīra para
yaha to hujjata hai havā kī quvvata-e-tāmīra para

fitrata-e-hastī śahīda ārazū rahatī nā ho
khūba tara paikara kī isa ko justuju rahatī nā ho

* * *

जन्नत नज़ारा है नक़्श-ए-हवा बाला-ए-आब
मौज मुज़्तर तोड़ कर तामीर करती है हबाब

मौज के दामन में फिर उस को छुपा देती है यह
कितनी बेदर्दी से नक़्श अपना मिटा देती है यह

फिर न करसकती हबाब अपना अगर पैदा हवा
तोड़ने में उस के यूं होती न बे-पर्वा हवा

इस रविश का क्या असर है हैअते[१] तामीर पर
यह तो हुज्जत[२] है हवा की कुव्वत-ए-तामीर पर

फ़ित्रत-ए-हस्ती शहीद आरज़ू रहती ना हो
ख़ूब तर पैकर की इस को जुस्तुजु रहती न हो

* * *

१. आकृति २. प्रमाण

شکوہ

کیوں زیاں کار بنوں سو فراموش رہوں
فکر فردا نہ کروں محو غم دوش رہوں
نالے بلبل کے سنوں اور ہمہ تن گوش رہوں
ہمنوا! میں بھی کوئی گل ہوں کہ خاموش رہوں
جرأت آموز مری تاب سخن ہے مجھ کو
شکوہ اللہ سے خاکم بدہن ہے مجھ کو

ہے بجا شیوہ تسلیم میں مشہور ہیں ہم
قصۂ درد سناتے ہیں کہ مجبور ہیں ہم
ساز خاموش ہیں، فریاد سے معمور ہیں ہم
نالہ آتا ہے اگر لب پہ تو معذور ہیں ہم
اے خدا شکوہ ارباب وفا بھی سن لے
خوگر حمد سے تھوڑا سا گلا بھی سن لے

REMONSTRANCE !

(A question to Almighty God)

Why a loser be, mindless of any gain
Unmindful of future, steeped in past remain
For nightingale's travail an ear to sustain
Am I, o friend, a flower silence to maintain
My volubility, infact, is urging me to dare
To remonstrate with God, not in despair

We rightly are regarded for our amenability
However, we state our case in a state of debility
As if a silent dirge, full of lamentability
For complaint on our lips, we accept our liability
O God! a small complaint from your humble folk
From those singing praises, a word to invoke

Śikavā

kyoṃ ziyāṃ kāra banūṃ sūda farāmośa rahūṃ
fikar fardāṃ na karūṃ mahave ghama doṣa rahūṃ
nāle bulabula ke sunūṃ aura hamȃ tana gośa rahūṃ
hamanavā! maiṃ bhī koī gula hūṃ ke khāmośa rahūṃ
jurrāta āmūza merī tāba sukhana hai mujha ko
śikvā allāha se khākima badahana hai mujha ko

hai bajā śīvā-e-tasalīma meṃ maśahūra haiṃ hama
qissā-e-darda sunāte haiṃ ke majabūra haiṃ hama
sāza khāmośa haiṃ, fariyāda se māmūra haiṃ hama
nālā ātā hai agara laba pe to māzūra haiṃ hama
ai-khudā śikvā arbāba-e-vafā bhī suna le
khugara hamda se thoȡā sā gilā bhī suna le

शिकवा

क्यों ज़ियां कार[1] बनूं सूद फ़रामोश रहूं
फ़िक्र फ़र्दा[2] न करूं महवे ग़म दोष रहूं
नाले बुलबुल के सुनूं और हमा ए तन गोश रहूं
हमनवा! मैं भी कोई गुल हूं के ख़ामोश रहूं
जुर्रत आमूज़ मेरी ताब सुख़न है मुझ को
शिक्वा अल्लाह से ख़ाकिम बदहन है मुझ को

है बजा शीवा-ए-तस्लीम में मशहूर हैं हम
क़िस्सा-ए-दर्द सुनाते हैं के मजबूर हैं हम
साज़ ख़ामोश हैं, फ़रियाद से मामूर हैं हम
नाला आता है अगर लब पे तो माज़ूर[3] हैं हम
ऐ-ख़ुदा शिकवा अर्बाब-ए-वफ़ा भी सुन ले
खुगर हम्द से थोड़ा सा गिला भी सुन ले

---

१. अनिष्ट करने वाला २. आने वाला कल ३. विवश

ہم سے پہلے تھا عجب تیرے جہاں کا منظر
کہیں مسجود تھے پتھر، کہیں معبود شجر
خوگر پیکر محسوس تھی انساں کی نظر
مانتا پھر کوئی ان دیکھے خدا کو کیوں کر
تجھ کو معلوم ہے لیتا تھا کوئی نام ترا
قوت بازوئے مسلم نے کیا کام ترا

بس رہے تھے یہیں سلجوق بھی تورانی بھی
اہل چیں چین میں، ایران میں ساسانی بھی
اسی معمورے میں آباد تھے یونانی بھی
اسی دنیا میں یہودی بھی تھے، نصرانی بھی
پر ترے نام پہ تلوار اٹھائی کس نے
بات جو بگڑی ہوئی تھی، وہ بنائی کس نے

تھے ہمیں ایک ترے معرکہ آراؤں میں
خشکیوں میں کبھی لڑتے کبھی دریاؤں میں
دیں اذانیں کبھی یورپ کے کلیساؤں میں
کبھی افریقہ کے تپتے ہوئے صحراؤں میں
شان آنکھوں میں نہ جچتی تھی جہانداروں کی
کلمہ پڑھتے تھے ہم چھاؤں میں تلواروں کی

The world prior to us presented a strange scene
Worship of stone and tree prevailed to demean
Human perception recognised things that were seen
How could It believe in God, Invisible, unseen
You know there was none to recognize Divinity
Spread of Muslim faith led to your sanctity

The Seljuk inhabited the world as also Turanid
In China there were Chinese, in Iran the sasanid
On this planet lived the Greek and Helenid
Also there were people of Jewish and Christian creed
Only we in your name took the sword to hilt
We faced the problem fully, we charged at full tilt

We were the only people fighting to be martyr
Sometimes we fought on land, sometimes it was water
We recited call to prayer deep in European quarter
In hot African deserts, in pursuit even hotter
For kings and their kingdoms, we couldn't care less
In God we put our trust, to seek and to bless

hama se pahale thā ajaba tere jahāṃ kā mañzara
kahīṃ masjūda the patthara, kahīṃ mābūda śajara
khūgara paikara mahasūsa thī insāṃ kī nazara
mānatā phira koī ana-dekhe khudā ko kyoṃ kara
tujha ko mālūma hai letā thā koī nāma terā
quvvate bāzū-e-muslima ne kiyā kāma terā

basa rahe the yahīṃ salajūqa bhī tūrānī bhī
ehala-e-cīṃ cīna meṃ, īrāna meṃ sāsānī bhī
isī māmūre meṃ ābāda the yunānī bhī
isī duniyā meṃ yahūdī bhī the nasarānī bhī
para tere nāma pe talavāra uṭhāī kisa ne
bāta jo bigad̂ī huī thī vo banāī kisa ne

the hamīṃ eka tere mārakā ārāoṃ meṃ
khuśkiyoṃ meṃ kabhī lad̂ate kabhī dariyāoṃ meṃ
dīṃ azāneṃ kabhī yūropa ke kalisāoṃ meṃ
kabhī afrīqā ke tapate huye saharāoṃ meṃ
śāna āṃkhoṃ meṃ na jacatī thī jahāndāroṃ kī
kalamā pad̂hate the hama chāṃva meṃ talavāroṃ kī

हम से पहले था अजब तेरे जहां का मंज़र
कहीं मस्जूद थे पत्थर, कहीं माबूद शजर
ख़ूगर पैकर महसूस थी इन्सां की नज़र
मानता फिर कोई अन-देखे ख़ुदा को क्यों कर
तुझ को मालूम है लेता था कोई नाम तेरा
कुव्वते बाज़ू-ए-मुस्लिम ने किया काम तेरा

बस रहे थे यहीं सलजूक़ भी तूरानी भी
एहल-ए-चीं चीन में, ईरान में सासानी भी
इसी मामूरे में आबाद थे युनानी भी
इसी दुनिया में यहूदी भी थे नसरानी भी
पर तेरे नाम पे तलवार उठाई किस ने
बात जो बिगड़ी हुई थी वो बनाई किस ने

थे हमीं एक तेरे मारका आराओं में
ख़ुश्कियों में कभी लड़ते कभी दरियाओं में
दीं अज़ानें कभी यूरोप के कलिसाओं में
कभी अफ़्रीक़ा के तपते हुये सहराओं में
शान आंखों में न जचती थी जहांदारों की
कलमा पढ़ते थे हम छांव में तलवारों की

آگیا عین لڑائی میں اگر وقت نماز
قبلہ رد ہو کے زمیں بوس ہوئی قوم حجاز
ایک ہی صف میں کھڑے ہوگئے محمود و ایاز
نہ کوئی بندہ رہا نہ کوئی بندہ نواز
بندہ و صاحب و محتاج و غنی ایک ہوئے
تیری سرکار میں پہنچے تو سبھی ایک ہوئے

محفل کون و مکاں میں سحر و شام پھرے
مئے توحید کو لے کر صفت جام پھرے
کوہ و دشت میں لے کر ترا پیغام پھرے
اور معلوم ہے تجھ کو کبھی ناکام پھرے
دشت تو دشت دریا بھی نہ چھوڑے ہم نے
بحر ظلمات میں دوڑا دیئے گھوڑے ہم نے

صفحہ دہر سے باطل کو مٹایا ہم نے
نوع انساں کو غلامی سے چھڑایا ہم نے
تیرے کعبے کو جبینوں سے بسایا ہم نے
تیرے قرآن کو سینوں سے لگایا ہم نے
پھر بھی ہم سے یہ گلا ہے کہ وفادار نہیں
ہم وفادار نہیں تُو بھی تو دلدار نہیں

If in midst of battle came time for our prayer
Fighters turned to Kaaba with prayerful thought to spare
General and soldier stood in line to partake of spiritual fare
Lesson of equlity thus was clearly brought to bear
High and low, rich and poor all stood as one
In your domain all were equal, exception next to none

In world far and wide we wandered night and day
Nectar cup of monotheism was not allowed to sway
Mount and vale we spread your word all along the way
Did we ever in our endeavour falter or dismay?
Let alone desert land we waded into water
We galloped into open seas even as a starter

Falsehood we obliterated from the face of earth
We cut the bonds of slavery from humanity's girth
We turned to Holy Kaaba with hearts full of mirth
We embraced your Holy Quran right from its birth
Still we are charged that we are not fervent
If we are not fervent, then you are not indulgent

ā gayā aina laḓāī meṃ agara vaqta-e-namāza
qibalā-rū hoke zamīna bosa huī qauma hijāza
eka hī safa meṃ khaḓe hogaye mahamūda-o-ayāza
na koī bandā rahā na koī bandā navāza
bandā va sāhiba va mohatāja va g̱hanī eka hue
terī sarakāra meṃ pahuñce to sabhī eka hue

mahafile kauna-o-makāṃ meṃ sahara-o-śāma phire
mae tauhīda ko lekara sifte jāma phire
koha-o-daśta meṃ lekara terā paig̱hāma phire
aura mālūma hai tujhako kabhī nākāma phire
daśta to daśta dariyā bhī na choḓe hama ne
bahar-e-zulmāta meṃ dauḓā diye ghoḓe hama ne

safaha-e-dahar se bātila ko miṭāyā hamane
nau-e-insāṃ ḳo g̱hulāmī se chuḓāyā hamane
tere kābe ko jabīnoṃ se basāyā hamane
tere quraāna ko sīnoṃ se lagāyā hamane
phira bhī hama se yaha gilā hai ke vafadāra nahīṃ
hama vafādāra nahīṃ tū bhī to diladāra nahīṃ

आगया ऐन लड़ाई में अगर वक़्त-ए-नमाज़
क़िबला-रू[१] होके ज़मीन बोस हुई क़ौम हिजाज़
एक ही सफ़ में खड़े हो गये महमूद-ओ-अयाज़
न कोई बन्दा रहा न कोई बन्दा नवाज़
बन्दा व साहिब व मोहताज व ग़नी एक हुए
तेरी सरकार में पहुंचे तो सभी एक हुए

महफ़िले कौन-ओ-मकां में सहर-ओ-शाम फिरे
मए तौहीद को लेकर सिफ़्ते जाम फिरे
कोह-ओ-दश्त में लेकर तेरा पैग़ाम फिरे
और मालूम है तुझको कभी नाकाम फिरे
दश्त तो दश्त दरिया भी न छोड़े हम ने
बह्-ए-ज़ुल्मात में दौड़ा दिये घोड़े हम ने

सफ़ह-ए-दह्र से बातिल को मिटाया हमने
नौ-ए-इन्सां को ग़ुलामी से छुड़ाया हमने
तेरे काबे को जबीनों से बसाया हमने
तेरे क़ुरआन को सीनों से लगाया हमने
फिर भी हम से यह गिला है के वफ़ादार नहीं
हम वफ़ादार नहीं तू भी तो दिलदार नहीं

१. पश्चिम की ओर मुंह करके

یہ شکایت نہیں، ہیں ان کے خزانے معمور
نہیں محفل میں جنہیں بات بھی کرنے کا شعور
قہر تو یہ ہے کہ کافر کو ملیں حور و قصور
اور بے چارے مسلماں کو فقط وعدہ حور
اب وہ الطاف نہیں، ہم پہ عنایات نہیں
بات یہ کیا ہے کہ پہلی سی مدارات نہیں

کیوں مسلمانوں میں ہے دولت دنیا نایاب
تیری قدرت تو ہے وہ جس کی نہ حد ہے نہ حساب
تُو جو چاہے تو اٹھے سینہ صحرا سے حباب
رہرو دشت ہو سیلی زدہ موج سراب
طعن اغیار ہے، رسوائی ہے، ناداری ہے
کیا ترے نام پہ مرنے کا عوض خواری ہے

* * *

No complaint that those with nothing to show for measure
Have hoarded immense wealth, their coffers filled with treasure
Pity that non believers are showered with joy and pleasure
And poor Muslims only have a promise of beauty and leisure

No longer are we given any preferential treatment
What reason there to deprive us of the usual easement

Why for Muslims only pleasures be so scanty
Nature has no limit for your generous bounty
By your wish spring may bubble from desert empty
Deluded desert trekker indeed be deluged aplenty

Enemy taunting, reputation wanting, deprivation daunting
Is the reward for dying for you humiliation haunting

* * *

yaha śikāyata nahīṃ, haiṃ una ke k͟hazāne māmūra
nahīṃ mahafila meṃ jinheṃ bāta bhī karane kā śaura
qahar to yaha he ke kāfira ko milīṃ hūra-o-qasūra
aura becāre musalamāṃ ko faqata vādā-e-hūra
aba vo alatāfa nahīṃ, hama pe ināyāta nahīṃ
bāta yaha kyā hai ke pahalī sī madārāta nahīṃ

kyoṃ musalamānoṃ meṃ hai daulata-e-duniyā nāyāba
terī qudarata to hai vo jisa kī na hada hai na hisāba
tū jo cāhe to uṭhe sīnā-e-saharā se habāba
rahara-o-daśta hī sīlī zararā mauja-e-sarāba
tāna-e-ag͟hayāra hai, rūsavāī hai, nādārī hai
kyā tere nāma pe marane kā ivaza k͟hvārī hai

* * *

यह शिकायत नहीं, हैं उन के ख़ज़ाने मामूर
नहीं महफ़िल में जिन्हें बात भी करने का शऊर
क़ह तो यह है के काफ़िर को मिलीं हूर-ओ-क़सूर
और बेचारे मुसलमां को फ़क़त वादा-ए-हूर
अब वो अलताफ़ नहीं, हम पे इनायात नहीं
बात यह क्या है के पहली सी मदारात नहीं

क्यों मुसलमानों में है दौलत-ए-दुनिया नायाब
तेरी कुदरत तो है वो जिस की न हद है न हिसाब
तू जो चाहे तो उठे सीना-ए-सहरा से हबाब
रहर-ओ-दश्त हो सीली ज़र्रा मौज-ए-सराब
तान-ए-अग़यार है, रुसवाई है, नादारी है
क्या तेरे नाम पे मरने का इवज़ ख़्वारी है

* * *

جواب شکوہ

دل سے جو بات نکلتی ہے اثر رکھتی ہے
پر نہیں، طاقت پرواز مگر رکھتی ہے
قدسی الاصل ہے، رفعت پہ نظر رکھتی ہے
خاک سے اٹھتی ہے، گردوں پہ نظر رکھتی ہے
عشق تھا فتنہ گر و سرکش و چالاک مرا
آسماں چیر گیا نالہ بے باک مرا

پیر گردوں نے کہا سن کے کہیں ہے کوئی
بولے سیارے سر عرش بریں ہے کوئی
چاند کہتا تھا، نہیں، اہلِ زمیں ہے کوئی
کہکشاں کہتی تھی پوشیدہ یہیں ہے کوئی
کچھ جو سمجھا مرے شکوے کو تو رضواں سمجھا
مجھے جنت سے نکالا ہوا انساں سمجھا

ANSWER TO 'REMONSTRANCE'

What comes from heart within has its own effect
Wingless, but it has power to fly unsuspect
With supernatural basis it communicates direct
Risen though from earth, it aims at heaven in fact
My passion was provocative, pungent and poignent
My plaint ever so fearless, pierced through to firmament

Ageless heaven reverberated that someone was around
Stars surmised someone is from sky's upper bound
Moon said, no, certainly it was an earthly sound
Galaxy suspected someone hidden to comfound
It was God only who understood my plaintive agony
He understood that I was one from Adam's progeny

Javāb-E-Śikavā

dila se jo bāta nikalatī hai asara rakhatī hai
para nahīṃ, tāqata-e-paravāza magara rakhatī hai
qudasī-ula-asla hai, rifaata pe nazara rakhatī hai
k͟hāka se uṭhatī hai, gardūṃ pe nazara rakhatī hai
iśqa thā fitanā gara va sarakaśa va cālāka merā
āsamāṃ cīra gayā nālā-e-bebāka merā

pīra gardūṃ ne kahā suna ke kahīṃ hai koī
bole sayyāre sara-e-arśa barīṃ hai koī
cānda kahatā thā, nahīṃ ahala-e-zamīṃ hai koī
kahakaśāṃ kahatī thī pośīdā yahīṃ hai koī
kucha jo samajhā merā śikave ko to rizavāṃ samajhā
mujhe jannata se nikālā huā insāṃ samajhā

जवाब-ए-शिकवा

दिल से जो बात निकलती है असर रखती है
पर नहीं, ताक़त-ए-परवाज़ मगर रखती है
कुदसी-उल-अस्ल है, रिफ़अत पे नज़र रखती है
ख़ाक से उठती है, गर्दूं पे नज़र रखती है
इश्क़ था फ़ित्ना गर व सरकश व चालाक मेरा
आसमां चीर गया नाला-ए-बेबाक मेरा

पीर गर्दूं ने कहा सुन के कहीं है कोई
बोले सय्यारे सर-ए-अर्श बरीं है कोई
चांद कहता था, नहीं अहल-ए-ज़मीं है कोई
कहकशां कहती थी पोशीदा यहीं है कोई
कुछ जो समझा मेरे शिकवे को तो रिज़्वां समझा
मुझे जन्नत से निकाला हुआ इन्सां समझा

تھی فرشتوں کو بھی حیرت کہ یہ آواز ہے کیا
عرش والوں پہ بھی کھلتا نہیں یہ راز ہے کیا
تا سرِ عرش بھی انساں کی تگ و تاز ہے کیا
آگئی خاک کی چٹکی کو بھی پرواز ہے کیا
غافل آداب سے سکان زمیں کیسے ہیں
شوخ و گستاخ یہ پستی کے مکیں کیسے ہیں

آئی آوازِ غم انگیز ہے افسانہ ترا
اشک بیتاب سے لبریز ہے پیمانہ ترا
آسماں گیر ہوا نعرہ مستانہ ترا
کس قدر شوخ زباں ہے دل دیوانہ ترا
شکر شکوے کو کیا حسن ادا سے تو نے
ہم سخن کردیا بندوں کو خدا سے تو نے

ہم تو مائل بہ کرم ہیں، کوئی سائل ہی نہیں
راہ دکھلائیں کسے، رہرو منزل ہی نہیں
تربیت عام تو ہے، جوہر قابل ہی نہیں
جس سے تعمیر ہو آدم کی یہ وہ گل ہی نہیں
کوئی قابل ہو تو ہم شان کئی دیتے ہیں
ڈھونڈنے والے کو دنیا بھی نئی دیتے ہیں

Angels were in wonderment what was this voice
Inhabitants of stratosphere couldn't fathom this noise
Could a mere earthling somehow reach heavenly dias
had the pinch of dust acquire necessary flying bias
How inhabitants of earth are showing lack of protocol
how inhabitants of netherland are showing utter gall

Came the reply that you have a sad tale to tell
With doleful tears is your cup just about to swell
High in sky your cup just about to swell
High in sky your shout has reached in high decibel
How your heart is talkative to spell and dispel
You have stated your plaint with creditable restraint
By your dialogue with God is man elevated to saint

Inclined we are to be generous, but no one there to take
Whom to show the way, no trekker in the wake
Opportunities there are aplenty, no talent to partake
The clay to build and edifice is unfit to bake
For anyone deserving, we grant and bestow
For anyone persevering, a new world on tow

thī fariśtoṃ ko bhī hairata ke ye āvāza hai kyā
arśa vāloṃ pe khulatā nahīṃ yaha rāza hai kyā
tā sara-e-arśa bhī insāṃ kī taga-o-tāza hai kyā
ā gayī k̲h̲āka kī cuṭakī ko bhī paravāza hai kyā
ghāfila ādāba se sakāna-e-zamīṃ kaise haiṃ
śok̲h̲a-o-gustāk̲h̲a yaha pastī ke makīṃ kaise haiṃ

āī āvāza g̲h̲ama aṃgeza hai - afasānā terā
aśka-e-betāba se labareza hai paimānā terā
āsamāṃ gīra huā nārā-e-mastānā terā
kisa qadara śok̲h̲a zubāṃ hai dila dīvānā terā
śakara śikave ko kiyā husna-e-adā se tūne
hama suk̲h̲ana kara diyā bande ko k̲h̲udā se tūne

hama to māila ba-karama haiṃ, koī sāila hī nahīṃ
rāha dikhalāyeṃ kise, rahave mañzila hī nahīṃ
tarbiyata āma to hai, qābila hī nahīṃ
jisa se tāmīra ho ādama kī yaha vo gula hī nahīṃ
koī qābila ho to hama śāna kaī dete haiṃ
ḍhūṇḍhane vāle ko duniyā bhī naī dete haiṃ

थी फ़रिश्तों को भी हैरत के ये आवाज़ है क्या
अर्श वालों पे खुलता नहीं यह राज़ है क्या
ता सर-ए-अर्श भी इन्सां की तग-ओ-ताज़ है क्या
आ गयी ख़ाक की चुटकी को भी परवाज़ है क्या
गाफ़िल आदाब से सकान-ए-ज़मीं कैसे हैं
शोख़-ओ-गुस्ताख़ यह पस्ती के मकीं कैसे हैं

आई आवाज़ ग़म-अंगेज़ है अफ़साना तेरा
अश्क-ए-बेताब से लबरेज़ है पैमाना तेरा
आसमां गीर हुआ नारा-ए-मस्ताना तेरा
किस क़दर शोख़ ज़ुबां है दिल दीवाना तेरा
शकर शिकवे को किया हुस्न-ए-अदा से तूने
हम सुख़न कर दिया बन्दे को ख़ुदा से तूने

हम तो माइल ब-करम हैं, कोई साइल ही नहीं
राह दिखलायें किसे, रहरवे मंज़िल ही नहीं
तर्बियत आम तो है, जौहरे क़ाबिल ही नहीं
जिस से तामीर हो आदम की यह वो गुल ही नहीं
कोई क़ाबिल हो तो हम शान कई देते हैं
ढूंढने वाले को दुनिया भी नई देते हैं

ہاتھ بے زور ہیں، الحاد سے دل خوگر ہیں
امتی باعث رسوائی پیغمبر ہیں
بت شکن اٹھ گئے، باقی جو رہے بت گر ہیں
تھا براہیم پدر اور پسر آذر ہیں
بادہ آشام نئے، بادہ نیا، خم بھی نئے
حرم کعبہ نیا، بت بھی نئے، تم بھی نئے

کس قدر تم پہ گراں صبح کی بیداری ہے
ہم سے کب پیار ہے ہاں نیند تمھیں پیاری ہے
طبع آزاد پہ قید رمضاں بھاری ہے
تمھیں کہہ دو، یہی آئین وفاداری ہے
قوم مذہب سے ہے، مذہب جو نہیں تم بھی نہیں
جذب باہم جو نہیں، محفل انجم بھی نہیں

منفعت ایک ہے اس قوم کی، نقصان بھی ایک
ایک ہی سب کا نبی، دین بھی، ایمان بھی ایک
حرم پاک بھی، اللہ بھی، قرآن بھی ایک
کچھ بڑی بات تھی ہوتے جو مسلمان بھی ایک
فرقہ بندی ہے کہیں اور کہیں ذاتیں ہیں
کیا زمانے میں پنپنے کی یہی باتیں ہیں

Wrists are weak, hearts are given to disbelief
Prophet's followers are causing nothing but holy grief
Iconoclasts have gone, to idol makers' relief
For Prophet Abraham you are holding little brief
Taverns are new, wine is new, casks are all new
Mosque is new, temple is new, tasks are all new

How hard on you is this early morning prayer
How you love your sleep, for us you do not care
Rigours of Holy Ramadhan your spirit cannot bear
In allegiance terms you tell us how you really fare
From religion is community, no religion, no community
If no natural concordat, there is then no unity

C 'm ommunity is bound together for gain or deprivation
They believe in Holy Prophet, for faith and motivation
Belief in God, and Holy Kaaba, Quran for inclination
Was there any doubt then that Muslims are a nation
Divided you are in groups, as well as caste and creed
Is this on earth the way to survive and succeed?

hātha be zora haiṃ, ilhāda se dila k̲h̲ūgara haiṃ
ummatī bāīsa-e-rusavāī paig̲h̲ambara haiṃ
buta śikana uṭha gaye bāqī jo rahe buta gara haiṃ
thā barāhīma pidara aura pisara āzara haiṃ
bādā-e-āśama naye, bādā nayā, k̲h̲ama bhī naye
harama kābā nayā, buta bhī naye, tuma bhī naye

kisa qadara tuma pe girāṃ subaha kī bedārī hai
hama se kaba pyāra hai hāṃ nīnda tumheṃ pyārī hai
tabā āzāda pe qaida-e-ramazāṃ bhārī hai
qauma mazahaba se hai mazahaba jo nahīṃ tuma bhī nahīṃ
jazba bāhama jo nahīṃ, mahafila-e-aṃjuma bhī nahīṃ

manfaata eka hai isa qauma kī, nuqasāna bhī eka
eka hī saba kā nabī, dīna bhī, īmāna bhī eka
harama pāka bhī, allāha bhī, quraāna bhī eka
kucha baḍ̂ī bāta thī hote jo musalamāna bhī eka
firaqā bandī hai kahīṃ aura kahīṃ zāteṃ haiṃ
kyā zamāne meṃ panapane kī yahī bāteṃ haiṃ

हाथ बे ज़ोर हैं, इल्हाद से दिल ख़ूगर हैं
उम्मती बाईस-ए-रुसवाई पैग़म्बर हैं
बुत शिकन उठ गये बाक़ी जो रहे बुत गर हैं
था बराहीम पिदर और पिसर आज़र हैं
बादा-ए-आशाम नये, बादा नया, ख़म भी नये
हरम काबा नया, बुत भी नये, तुम भी नये

किस क़दर तुम पे गिरां सुबह की बेदारी है
हम से कब प्यार है हां नींद तुम्हें प्यारी है
तबा-आज़ाद पे क़ैद-ए-रमज़ां भारी है
तुम्हीं कह दो यही आईन-ए-वफ़ादारी है
क़ौम मज़हब से है मज़हब जो नहीं तुम भी नहीं
जज़्ब बाहम जो नहीं, महफ़िल-ए-अंजुम भी नहीं

मन्फ़अत एक है इस क़ौम की, नुक़सान भी एक
एक ही सब का नबी, दीन भी, ईमान भी एक
हरम पाक भी, अल्लाह भी, कुरआन भी एक
कुछ बड़ी बात थी होते जो मुसलमान भी एक
फ़िरक़ा बन्दी है कहीं और कहीं ज़ातें हैं
क्या ज़माने में पनपने की यही बातें हैं

شور ہے ہوگئے دنیا سے مسلماں نابود
ہم یہ کہتے ہیں کہ تھے بھی کہیں مسلم موجود
وضع میں تم ہو نصاریٰ، تو تمدن میں ہنود
یہ مسلماں ہیں جنہیں، دیکھ کے شرمائیں یہود
یوں تو سید بھی ہو، مرزا بھی ہو، افغان بھی ہو
تم سبھی کچھ ہو، بتاؤ تو کیا مسلماں بھی ہو

ہر کوئی مست مئے ذوق تن آسانی ہے
تم مسلماں ہو، یہ انداز مسلمانی ہے
حیدری فقر ہے، نے دولت عثمانی ہے
تم کو اسلاف سے کے نسبت روحانی ہے
وہ زمانے میں معزز تھے مسلماں ہوکر
اور تم خوار ہوئے تارک قرآں ہوکر ؎

* * *

Lament is that in world, Muslims are descending
We say in reply that you are condescending
With alien ways and culture, you are not transcending
Are you Muslim still! what message you are sending
You are Syed, you are Mirza, Afghan in origin
Everything you are, but are you Muslim in religion

Everyone has taken to ease and easy living
Are you Muslim! or you are victim of misgiving
No austerity of Caliph Ali, no Osman's munificent giving
You emulate not your forebears, their forbearance and forgiving
By adherence to Muslim faith they were lofty in their time
By non observance of creed, you have passed your prime

* * *

śora hai ho gaye duniyā se musalamāṃ nābūda
hama yaha kahate haiṃ ke the bhī kahīṃ musalima maujūda
vazaa meṃ tuma ho nisārā, to tamadduna meṃ hanūda
yaha musalamāṃ haiṃ jinheṃ dekha ke śaramāye yahūda
yūṃ to sayyada bhī ho, mirzā bhī ho, afag͟hāna bhī ho
tuma sabhī kucha ho, batāo to musalamāṃ bhī ho

hara koī masta maye zauqa-e-tana āsānī hai
tuma musalamāṃ ho, yaha aṃdāza-e-musalamānī hai
haidarī fuqra hai, ne daulata-e-usamānī hai
tuma ko aslāfa se kyā nisbata rūhānī hai
vo zamāne meṃ moazziza the musalamāṃ hokara
aura tuma k͟hvāra huye tārika-e-quraāṃ hokara

* * *

शोर है हो गये दुनिया से मुसलमां नाबूद
हम यह कहते हैं के थे भी कहीं मुसलिम मौजूद
वज़अ में तुम हो निसारा, तो तमद्दुन में हनूद
यह मुसलमां हैं जिन्हें देख के शरमाये यहूद
यूं तो सय्यद भी हो, मिर्ज़ा भी हो, अफ़ग़ान भी हो
तुम सभी कुछ हो, बताओ तो मुसलमां भी हो

हर कोई मस्त मये ज़ौक़-ए-तन आसानी है
तुम मुसलमां हो, यह अंदाज़-ए-मुसलमानी है
हैदरी फ़ुक्र है, ने दौलत-ए-उसमानी है
तुम को अस्लाफ़ से क्या निस्बत रूहानी है
वो ज़माने में मोअज़्ज़िज़ थे मुसलमां होकर
और तुम ख़्वार हुये तारिक-ए-कुरआं होकर

* * *